A DIETA DE SOUTH BEACH

A DIETA DE SOUTH BEACH

Um plano delicioso e garantido para perder peso de forma rápida e saudável

Arthur Agatston, M.D.

3ª edição

SEXTANTE

Publicado em acordo com Rodale, Inc., Emmaus, PA, USA
Título original em inglês: *The South Beach Diet*

tradução
Ana Beatriz Rodrigues
preparo de originais
Regina da Veiga Pereira
revisão técnica
Virgínia Maria Barroso do Nascimento
revisão
Clara Diament
Sérgio Bellinello Soares
projeto gráfico, diagramação e adaptação da capa
Marcia Raed
capa original
Carol Angstadt
fotografia da capa
Hitoshi Kamiizumi/Photonica
fotolitos
RR Donnelley América Latina
impressão e acabamento
Cromosete Gráfica e Editora Ltda.

CIP-BRASIL. CATALOGAÇÃO-NA-FONTE.
SINDICATO NACIONAL DOS EDITORES DE LIVROS, RJ

A21d

Agatston, Arthur S.
A dieta de South Beach
/ Arthur Agatston ; tradução de Ana Beatriz Rodrigues. – Rio de Janeiro : Sextante, 2003

Tradução de: The South Beach diet
ISBN: 85-7542-087-9

1. Dieta de emagrecimento. 2. Índice glicêmico. I. Título.

03-1867. CDD 613.25
CDU 613.24

Editora Sextante (GMT Editores Ltda.)
Rua Voluntários da Pátria, 45 – Gr. 1.404 – Botafogo
22270-000 – Rio de Janeiro – RJ
Tel.: (21) 2286-9944 – Fax: (21) 2286-9244
Central de Atendimento: 0800-22-6306
E-mail: atendimento@esextante.com.br
www.sextante.com.br

Dedico este livro
a minha esposa, Sari,
pelo seu apoio,
entusiasmo e amor.

SUMÁRIO

Parte Um

Entendendo a Dieta de South Beach

Parte Dois

Cardápios e Receitas

PARTE UM

Entendendo a Dieta de South Beach

MENOS PESO, MAIS VIDA

A dieta de South Beach não é pobre em carboidratos.

Nem tem baixo teor de gordura.

A dieta de South Beach nos ensina a consumir os carboidratos e gorduras certos – eu vou lhe dizer quais são – e nos permite viver alegremente, com um resultado maravilhoso: ficar saudável e emagrecer!!! Se seguir a dieta, você vai perder de três a cinco quilos, só nas duas próximas semanas.

Vou lhe dizer o que você tem que fazer.

Você vai ingerir porções normais de carne, frango, peru, peixe e molusco.

Vai ingerir grande quantidade de hortaliças. Ovos. Queijos. Nozes.

Vai consumir saladas temperadas com um molho feito do verdadeiro azeite de oliva.

Vai fazer três refeições por dia, sem nenhuma restrição de quantidade. É você quem vai definir a quantidade de comida que saciará sua fome. Nada atrapalha mais uma dieta para emagrecer do que aquela penosa sensação de que se ficou com um "buraco" no estômago. Com a dieta de South Beach isso não vai acontecer, porque acredito que nenhum programa alimentar sensato pode deixar você com fome. Mesmo que não queira, você terá que fazer um lanche no meio da manhã e outro no meio da tarde. E ainda comerá sobremesa.

Obviamente, vai beber água, além de café ou chá, se quiser.

Nos próximos 14 dias, você *não* comerá pão, arroz, batata, massa ou doces. Nem frutas. Calma, não precisa entrar em pânico: você começará a reintroduzir esses alimentos de volta à dieta depois de duas semanas. Mas nesses primeiros 14 dias eles estão proibidos.

Além disso, nada de balas, bolos, biscoitos, sorvete ou açúcar durante duas semanas. Cerveja ou qualquer bebida alcoólica também estão proibidas. Depois dessa fase, você vai poder beber vinho, que vai lhe fazer bem por vários motivos. Entretanto, nem uma gota durante as duas primeiras semanas.

Mas se você é do tipo de pessoa que não vive sem massa, pão ou batata, ou se está pensando que não vai conseguir passar um dia sem saciar o desejo de comer doces (três ou quatro vezes), acredite no que vou dizer: você vai se surpreender com a facilidade com que passará essas duas semanas sem esses alimentos. Talvez o primeiro ou os dois primeiros dias sejam difíceis, mas, depois que sobreviver a eles, você ficará bem. Isso não significa que você não terá que lutar contra a vontade de ingerir tais alimentos. Mas, cada vez que pensar no ganho que vai ter ao resistir a eles, tudo se tornará mais fácil. Tenho total confiança para afirmar isso, porque foi o que ouvi de muitas pessoas que estavam com excesso de peso e conseguiram emagrecer com essa dieta. Talvez seja a primeira vez que você toma contato com a dieta de South Beach, mas ela já existe há vários anos – tempo suficiente para ajudar centenas de pessoas a emagrecer facilmente e a manter o peso.

Portanto, esta é a Fase 1, o período mais rigoroso. Mas pense bem: são só duas semanas, e o benefício que virá compensa qualquer esforço.

Depois de duas semanas, você terá perdido em torno de três a cinco quilos. A maior parte deste peso provém da região da barriga, portanto você notará imediatamente a diferença em suas roupas. Será mais fácil fechar o zíper da calça, e aquele vestido guardado no armário entrará com facilidade. Porém, esta será apenas a diferença perceptível. Você não notará as mudanças internas ocorridas durante essas duas semanas. Você terá corrigido a reação do organismo aos próprios alimentos que o fizeram engordar. Um interruptor dentro de você foi ligado durante o tempo em que engordou. Agora, apenas mudando a alimentação, ele será desligado. As vontades físicas que comandavam seus hábitos alimentares terão desaparecido e não voltarão enquanto você estiver seguindo a dieta. A perda de peso não ocorrerá porque você está tentando comer menos, mas sim porque estará ingerindo menor quantidade dos alimentos que causaram esses antigos impulsos prejudiciais e menor quantidade dos alimentos que fizeram seu organismo armazenar excesso de gordura.

Como resultado dessa mudança, você continuará emagrecendo depois dos quatorze dias iniciais, mesmo que tenha começado a reintroduzir em sua dieta alguns dos alimentos banidos. Você ainda estará de dieta, mas, se sua paixão for pão, poderá comer pão. Se for massa, introduzirá novamente a massa. Assim como arroz ou cereal. Batatas. As frutas definitivamente voltarão.

Chocolate? Se lhe dá muito prazer, com certeza. Você vai ter que escolher qual dessas extravagâncias vai se permitir. Não conseguirá comer tudo isso o tempo todo. Aprenderá a desfrutar esses alimentos de uma forma um pouco diferente – talvez com um pouco menos de entusiasmo. Mas poderá voltar a comê-los.

É a Fase 2.

Você permanecerá nessa fase e continuará a emagrecer até atingir seu objetivo. Em quanto tempo? Depende de quantos quilos precisa perder. Na Fase 2, as pessoas perdem, em média, de 400 a 900 gramas por semana. Depois de alcançar seu objetivo, você passará para uma versão ainda mais liberal da dieta, que ajudará a manter o peso ideal.

É a Fase 3, que dura o resto da vida. Quando chegar nesse ponto, você observará que essa dieta vai passar a ser um estilo de vida. Consumirá alimentos normais, em porções normais. Poderá ficar à vontade para esquecer a dieta de South Beach, desde que se lembre de seguir poucas regras básicas.

Como ao emagrecer você estará alterando a reação de seu organismo aos alimentos, vai ocorrer uma terceira mudança. Essa mudança irá alterar bastante a química de seu sangue, beneficiando seu sistema cardiovascular a longo prazo. Fatores invisíveis, motivos de preocupação apenas para os cardiologistas e pacientes cardíacos, melhorarão. Graças a essa mudança final, suas chances de viver mais e melhor aumentarão substancialmente, e você será capaz de envelhecer mantendo a saúde e a vitalidade.

Imagino que talvez você esteja querendo adotar a dieta de South Beach apenas na esperança de emagrecer. Posso lhe garantir, baseado numa experiência de muitos anos: se a adotar e continuar a segui-la, certamente alcançará seu objetivo. Mas fará também muito mais. Não estou exagerando quando afirmo que esta dieta pode até salvar sua vida.

BONS CARBOIDRATOS, MAUS CARBOIDRATOS

Não sou endocrinologista.

Na verdade, minha carreira como médico foi em grande parte dedicada à ciência da geração de imagens cardíacas por métodos não-invasivos – o desenvolvimento de tecnologias que produzem imagens sofisticadas do coração e dos vasos sangüíneos coronarianos. Isso permite identificar problemas e tratá-los precocemente, antes que causem infarto ou derrame. Na tomografia computadorizada, orgulho-me de dizer, chamamos a medida de cálcio coronariano de Agatston Score, e o protocolo para o controle de cálcio costuma ser chamado de Método Agatston. Continuo trabalhando com cardiologia, ativamente e em tempo integral, tanto no consultório quanto em pesquisas.

O leitor pode estar se perguntando como foi que me tornei responsável por um programa de emagrecimento que se tornou um fenômeno no sul da Flórida, uma dieta que ajudou inúmeros homens e mulheres – grande parte deles na casa dos vinte, trinta anos, jovens o bastante para serem netos de meus pacientes normais de cardiologia – a afinarem a silhueta.

Tenho que admitir: não me preparei para ser motivo de tanta agitação. Hoje, sou regularmente assediado por pessoas que me assistiram na televisão ou que leram sobre o sucesso da dieta em jornais e revistas.Vejo-me em uma posição inesperada devido à imagem mundial da cidade onde vivo: a meca da beleza física e da consciência corporal e seu papel no circuito da moda.

Tudo começou como um projeto médico. Em meados da década de 90, eu era um dos muitos cardiologistas que estavam decepcionados com a dieta com baixo teor de gordura e rica em carboidratos recomendada pela American Heart Association. Esta dieta visava nos ajudar a ter uma alimentação adequada e a manter um peso saudável. Nenhuma das dietas pobres em carboidrato da época parecia funcionar satisfatoriamente, sobretudo a longo prazo. Eu não me preocupava com a aparência de meus pacientes: queria encontrar uma dieta que ajudasse a evitar ou reverter a infinidade de problemas cardíacos e vasculares provenientes da obesidade. Como nunca encontrei tal dieta, resolvi desenvolvê-la.

Hoje, sinto-me quase tão à vontade no mundo da nutrição quanto entre cardiologistas. Dou palestras regularmente para médicos, pesquisadores e outros profissionais da área da saúde que dedicam a vida a ajudar pacientes a se alimentarem de forma sensata e emagrecer. Embora meu interesse pela alimentação tenha partido de uma perspectiva terapêutica, vejo hoje que os benefícios do emagrecimento para a aparência física são extremamente importantes, pois são eles que motivam jovens e velhos a emagrecer, muito mais do que a promessa de um coração saudável. O fato de ter uma melhor aparência produz um efeito psicológico positivo, beneficiando a pessoa como um todo e evitando que muitos pacientes tenham uma recaída. O resultado final é a saúde cardiovascular – meu único objetivo no início dessa jornada.

O que começou como uma investida no mundo da nutrição levou-me a planejar uma dieta simples, segura e que funciona bem, sem estresse, em um grande número daqueles que a experimentaram. O programa foi estudado cientificamente (como poucas dietas jamais foram) e é comprovadamente eficaz, tanto para emagrecer quanto para manter um sistema cardiovascular saudável.

Obviamente, quando tudo começou, eu não tinha noção do que aconteceria. Só sabia que a maioria dos meus pacientes – o número aumentava a cada ano – estava com excesso de peso e que isso contribuía muito para seu risco cardíaco. Eu poderia tratá-los com todos os medicamentos e procedimentos mais atualizados, mas, se não controlassem a alimentação, estaríamos travando uma batalha perdida. Seus hábitos alimentares contribuíam para a química do sangue, cujos níveis de colesterol e triglicerídeos eram perigosamente altos, principais causadores das artérias bloqueadas e da inflamação dos vasos sangüíneos. Muitos de meus pacientes também tinham outro problema relacionado à alimentação, um problema que poucos entendiam, uma síndrome silenciosa, chamada síndrome metabólica (pré-diabetes), encontrada em quase a metade dos americanos que sofrem infartos.

A busca de um programa de emagrecimento correto

Na verdade, minha jornada para a prevenção de doenças através da dieta começou quando meus estudos de cardiologia começaram, há trinta anos. Durante meu treinamento, no final da década de 70, procurei tratar pacientes com doenças cardíacas, apesar de não termos muitas armas preventivas em nosso arsenal. Fiz a seguinte pergunta ao mais respeitado cardiologista que conhecia: "Qual a melhor maneira de se prevenir doenças cardíacas?" Sua resposta: "Escolher os pais certos." Se você herda os genes para longevidade cardíaca, tem probabilidade de viver até uma idade avançada. Se sua família vier sendo atingida desde cedo por doenças cardíacas, não há muito a se fazer para mudar seu destino.

Foi então que, em 1984, participei de um curso na Heart House, em Maryland, sede nacional do American College of Cardiology. Lá, assisti à palestra de um pesquisador brilhante e carismático professor, Bill Castelli, que coordenava o mundialmente famoso Framingham Heart Study. O Dr. Castelli nos falou sobre os resultados do Lipid Research Clinics Primary Prevention Trial (LRCPPT), patrocinado pelos National Institutes of Health (NIH), concluído recentemente. Foi o primeiro estudo a comprovar que a redução dos níveis de colesterol poderia reduzir a incidência de infartos. Na época, o único tratamento conhecido para o colesterol alto era um desagradável pó granulado conhecido como resina, ingerido várias vezes ao dia antes das refeições. Portanto, ficamos todos entusiasmados quando o Dr. Castelli contou que, se os pacientes adotassem a primeira dieta da American Heart Association, seus níveis de colesterol baixariam e acabaríamos com a causa de doenças cardíacas nos Estados Unidos.

Voltamos para casa entusiasmadíssimos, prontos para orientar os pacientes a recuperar a saúde cardíaca e a sabedoria alimentar. Retornei a Miami confiante, pois acabara de descobrir como salvar a vida de meus pacientes. Minha mulher e eu chegamos a brincar, dizendo que, sem as doenças cardíacas, seria melhor mudar para outra especialidade que estivesse crescendo, como a cirurgia plástica. Logo constatei que seria improvável ficar desempregado como cardiologista.

Comecei a indicar aos pacientes a dieta pobre em gorduras e rica em carboidratos defendida pela American Heart Association, mas os resultados ficaram bem abaixo das minhas expectativas. Muitas vezes havia uma melhora inicial modesta no colesterol total, além de uma perda de peso muito pequena. Depois disso, o colesterol sempre voltava ao nível anterior ou ainda mais alto, e o paciente recuperava o peso. Este cenário não fazia parte apenas de minha própria experiência, mas também da de meus colegas. Refletia-se nos muitos experimentos sobre a relação entre dieta e colesterol, documentados na literatura: era impossível manter a redução dos níveis de colesterol e/ou do peso utilizando dietas pobres em gorduras e ricas em carboidratos. Não havia estudos convincentes mostrando que a dieta da American Heart Association era capaz de salvar vidas.

Ao longo dos anos, eu havia prescrito aos meus pacientes a maior parte das dietas mais respeitadas existentes – da dieta de Pritikin às mais recentes dietas para a saúde do coração e pobres em gorduras, inclusive o programa Ornish e várias dietas da American Heart Association. Todas elas, por diferentes motivos, fracassaram. Ou eram muito difíceis de seguir no dia-a-dia, ou a promessa de melhor química sangüínea e saúde cardíaca não se cumpria. Desestimulado, praticamente desisti de dar aos meus pacientes orientações sobre nutrição, pois não conseguia sugerir algo que realmente ajudasse. Como a maior parte dos cardiologistas daquela época, recorri aos medicamentos à base de estatina, que acabavam de surgir no mercado e eram comprovadamente eficazes na diminuição do colesterol total, senão do peso.

Porém, como último esforço, decidi também que dedicaria parte dos meus estudos à dieta e à obesidade. Como quase todos os médicos, eu não tinha conhecimentos específicos sobre ciência da nutrição. Portanto, minha primeira tarefa era pesquisar todos os programas de emagrecimento que existiam, tanto os que tinham boa base científica como as dietas da moda que encabeçavam as listas de *best-sellers*. À medida que me informava, também pesquisava a literatura de cardiologia sobre a prevalência de algo chamado síndrome da resistência à insulina e seus efeitos sobre a obesidade e a saúde do coração.

A ciência do sucesso

Hoje sabemos que um dos efeitos colaterais do excesso de peso é a deterioração da capacidade do hormônio insulina de processar combustível – gorduras e açúcares – de forma adequada. Chamamos essa condição de resistência à insulina. Como resultado, o organismo armazena mais gordura do que deveria, sobretudo na região do abdômen. Desde o surgimento do *homo sapiens*, somos geneticamente condicionados a armazenar gordura como estratégia de sobrevivência, para nos ajudar em períodos de fome.

Obviamente, o problema hoje é que jamais experimentamos o lado da fome dessa equação, apenas o lado da fartura. Portanto, armazenamos gordura, mas nunca exigimos que nosso organismo a queime. Grande parte de nosso excesso de peso vem dos carboidratos que ingerimos, sobretudo dos carboidratos altamente processados, encontrados em doces, pães, salgadinhos e outras guloseimas. O processamento industrial moderno dos alimentos elimina suas fibras, o que muda para pior sua verdadeira natureza e a forma como os metabolizamos.

Estudos revelaram que, ao diminuirmos o consumo desses "maus" carboidratos, a resistência da insulina começa a diminuir sozinha. O peso começa a diminuir com razoável rapidez e passamos a metabolizar adequadamente os carboidratos. O próprio desejo de comer carboidratos desaparece depois que cortamos seu consumo. Finalmente, a menor ingestão de carboidratos processados melhora a química do sangue, resultando definitivamente na diminuição dos níveis de triglicerídeos e de colesterol.

Portanto, o princípio inicial de meu programa alimentar foi permitir bons carboidratos (frutas, hortaliças e grãos integrais) e restringir a ingestão de maus carboidratos (os altamente processados, em sua maior parte, dos quais todas as fibras foram eliminadas). Desse modo, eliminaríamos a principal causa da obesidade. O programa era oposto à dieta do Dr. Atkins, por exemplo, que elimina praticamente *todos* os carboidratos, deixando como opção apenas as proteínas. Essa dieta também permite a ingestão de uma quantidade ilimitada de gorduras saturadas, o tipo encontrado na carne vermelha e na manteiga. Como algumas pessoas sabem, as gorduras saturadas são as gorduras ruins – que podem causar doenças cardiovasculares, infarto e derrame. No entanto, isso não evitou que milhões de pessoas adotassem o programa. Mas, a partir do momento em que eu soube disso, a dieta disparou os alarmes da minha cabeça de cardiologista. Mesmo que você emagreça e mantenha o peso, a química de seu sangue pode sofrer com a ingestão de tanta gordura saturada.

Meu programa corta determinados carboidratos, mas não todos. Na verdade, ele nos estimula a ingerir os bons carboidratos. Por exemplo: cortei farinha e açúcar brancos. Porém, nossa dieta permite a ingestão de pães e cereais de grãos integrais e massa de trigo integral. Recomendamos também diversas hortaliças e frutas. Tive um motivo prático para essa decisão, além do óbvio valor nutritivo e das fibras benéficas que elas fornecem. Nem todos querem abrir mão de hortaliças, frutas, pães e massas para sempre, mesmo trocando por uma dieta que permita 450 gramas de lombo canadense ou presunto magro no café da manhã, 450 gramas de hambúrguer (sem pão, obviamente) no almoço e um bife grosso no jantar. Se as pessoas querem pão, massa ou arroz, um programa alimentar sensato deveria acolher esse desejo.

Para compensar o corte total de carboidratos, minha dieta permitia bastante gordura e proteína animal. Esta decisão foi uma ousada oposição às dietas famosas que haviam sido desenvolvidas especificamente para pessoas com problemas cardíacos, como a de Pritikin e a de Ornish. Para um cardiologista, era como patinar no gelo fino. Porém, minha experiência com os pacientes mostrou-me que era quase impossível adotar as dietas tradicionais para a saúde do coração, pois elas supunham, de forma irrealista, que as pessoas são capazes de ingerir alimentos com muito pouca gordura a longo prazo. A dieta de South Beach permite a ingestão, além de carne magra, de porco, vitela e carneiro.

As rígidas restrições que as dietas com pouca gordura faziam às carnes eram desnecessárias – estudos mais recentes revelaram que a carne magra não exerce danos sobre a química sangüínea. Ao contrário do que sempre acreditamos, até a gema do ovo faz bem. É uma fonte de vitamina E natural, e exerce um efeito favorável sobre o equilíbrio entre o colesterol bom e o ruim. Frango, peru e peixe (sobretudo os gordurosos, como o salmão, atum e cavalinha) são recomendados em minha dieta, juntamente com nozes, queijos e iogurtes semidesnatados. Como regra geral, alimentos semidesnatados comprados prontos *talvez* sejam uma má idéia – as gorduras são substituídas por carboidratos, que engordam. Porém, laticínios light como queijo, leite e iogurte são exceções a essa regra – são nutritivos e não engordam.

Permito também diversas gorduras saudáveis mono e poliinsaturadas, como as mediterrâneas: azeite de oliva, óleo de canola e óleo de amendoim. São as gorduras boas. Reduzem realmente o risco de infarto ou derrame. Além de benéficas, tornam os alimentos mais saborosos. E produzem uma sensação de saciedade – uma consideração importante para uma dieta que promete que você não passará fome.

Em seguida, descobri uma cobaia adequada para testes preliminares: um homem de meia-idade que tinha dificuldades para controlar a pança – eu. Fiz a dieta. Abri mão de pão, massa, arroz, batata. E da cerveja. Nem mesmo frutas, pelo menos no início, pois contêm altos níveis de frutose, o açúcar das frutas. Mas, por outro lado, estava determinado a comer da forma mais normal possível, fazendo três refeições por dia, além dos lanches quando sentia fome.

Depois de apenas uma semana, observei uma diferença. Perdera cerca de 3,5 quilos nos primeiros sete dias, sem maior dificuldade. Não senti fome. Não tive desejos terríveis. Não sofri privação alguma.

Quase envergonhado, procurei Marie Almon, a maior autoridade em dietas de nosso hospital, o Mount Sinai Medical Center, em Miami Beach, e contei-lhe minha experiência. Ela admitiu que a dieta com pouca gordura que recomendávamos aos pacientes cardíacos não estava funcionando. Então, pegamos os princípios básicos que eu tinha desenvolvido e os expandimos até chegar a um programa alimentar conveniente.

Soluções práticas

Estabelecemos mais algumas diretrizes, com base em minha experiência clínica e em meus estudos. Primeiro, reconhecemos a maior falha das dietas que tínhamos experimentado com os pacientes: eram muito complicadas e rígidas demais. A dieta pode estar de acordo com critérios médicos ou nutricionais, mas, se for difícil conviver com ela, se ela não levar em conta o dia-a-dia da pessoa – e não apenas seu trato digestivo ou metabolismo –, será um fracasso. Portanto, a dieta que queríamos desenvolver seria flexível e simples, com o menor número possível de regras. Permitiria que as pessoas comessem da forma que realmente gostam, melhorando a química do sangue e ajudando-as a emagrecer e a manter o peso a longo prazo. Isso significa manter o peso a vida inteira, não apenas durante três meses ou um ano. Só assim este programa faria a transição crucial de uma dieta para um estilo de vida – um modo de viver e alimentar-se que seres humanos normais sejam capazes de manter pelo resto da vida.

Tendo isso em mente, decidimos que não pediríamos às pessoas que se privassem de todos os prazeres alimentares indefinidamente. Em geral, depois que você sai da linha em uma dieta, acabou. Os especialistas nunca levam em conta a fraqueza humana, nem dizem como nos ajustar aos inevitáveis deslizes que fazem parte do plano. Por isso, pessoas que saem da dieta um pouco hoje em geral saem um pouco mais amanhã e acabam escorregando o tempo todo, violando todas as regras e ficando deprimidas, desestimuladas, até desistirem. Levando isso em conta, oferecemos muitas sobremesas, elaboradas especialmente por Marie Almon para o programa. São deliciosas, mas é fundamental que você use somente os ingredientes "legais".

Além disso, reconhecemos que haverá dias em que você simplesmente *precisa* daquele sorvete de chocolate ou daquela torta de limão. Sou chocólatra, por isso mesmo entendo essa necessidade. O programa que ofereço permite que as pessoas sigam as regras ou as violem, contanto que entendam exatamente os danos que causaram e como podem desfazê-los. Se você ganha alguns gramas porque saiu da linha, ou retarda a perda de peso, será uma falha mínima e facilmente reparada, não uma ruína. Uma vantagem da estrutura de três fases da dieta de South Beach é que podemos mudar facilmente de um estágio para outro. Se, quando estiver na Fase 2, você entrar de férias e exagerar nos doces, é fácil voltar para a Fase 1 durante uma semana, perder o peso que ganhou com as sobremesas e depois voltar ao ponto em que parou na Fase 2.

Finalmente, as pessoas são seres práticos. As dietas que exigem cardápios complexos, combinações específicas de alimentos ou suplementos em determinadas horas do dia são rígidas demais para se manterem por muito tempo. Apesar de não haver base científica para tal complexidade, muitas dietas populares são extremamente difíceis nesse sentido. E assim fracassam. As pessoas já têm uma vida bastante complicada para ainda serem obrigadas a estar perto da geladeira a cada duas horas. Ninguém quer carregar uma caixinha de comprimidos ou um livro de regras (ou ambos). Portanto, nossa dieta baseia-se em pratos fáceis de preparar, com ingredientes facilmente encontrados em supermercados ou na maioria dos restaurantes. O programa requer lanches entre as refeições, mas são lanches que podem ser levados na pasta ou na mochila e consumidos na rua. Nossa dieta também se distingue pela ausência de contagem de calorias, de percentuais de gordura, carboidratos e proteínas, ou mesmo de regras sobre o tamanho da porção. Nossa principal preocupação é que as pessoas ingiram gorduras e carboidratos bons. Depois que tudo estiver sob controle, as porções e percentuais se ajustam. Ao escolher os carboidratos e gorduras certos, você simplesmente não terá fome.

Decidimos que nossa dieta deve ser eficaz mesmo para a pessoa que não tem o hábito de praticar exercícios físicos. Não há dúvida de que os exercícios aumentam o metabolismo do organismo, tornando a dieta mais eficiente. Além disso, são essenciais em qualquer programa para a saúde cardíaca. Entretanto, a dieta de South Beach não depende de exercícios para funcionar. Você perderá mais peso e com maior rapidez se praticá-los regularmente. Mas perderá peso mesmo sem isso.

Versatilidade e bom senso, orientados pela verdadeira ciência – e não pela ciência popular, que hoje recebe muitas vezes o nome de nutrição – são os princípios que orientam a dieta de South Beach. A nossa experiência afirma que conseguimos elaborar uma solução viável e prática para a obesidade que atormenta tantas pessoas observadas no consultório e no hospital. Vimos que ela funciona para a maioria delas.

MINHA DIETA DE SOUTH BEACH

KAREN G.: "PERDI 13 QUILOS E ESTOU CONSEGUINDO MANTER O PESO.

Tinha acabado de voltar para Miami Beach, vinda do Arizona, depois de me divorciar. E, obviamente, qualquer um nessa situação volta a sair com pessoas pela primeira vez depois de muito tempo. Só que eu adquirira treze quilos durante trinta anos de casamento, e, enquanto estava casada, achava que isso não importava. De repente os treze quilos me incomodavam. Por isso, quando li sobre a dieta de South Beach no jornal, ela me pareceu fácil, e procurei saber mais detalhes. Meu grande problema é que detesto sentir fome. Já tinha feito muitas dietas com pouca gordura antes e sempre sentia fome. Mas na dieta de South Beach a regra é: se você tem fome, coma. Quando sentamos para fazer uma refeição, temos que comer até ficar satisfeitos. Meus pontos fracos nunca foram os doces, mas alimentos salgados e com amido, como batata frita e pipoca. Quando ia ao mercado, a primeira coisa que comprava era um saco grande de pipoca, e acabava com ele antes de terminar as compras. Nunca ia ao cinema sem comer pipoca amanteigada. Para mim, ir ao restaurante e não comer pão com manteiga era um grande sacrifício. Sabe, na maioria das dietas você pode comer o pão, mas sem manteiga. Nessa, você pode comer manteiga, mas não o pão. Ou, se comer pão, tem que ser de trigo integral, com azeite de oliva, e não com manteiga.

Para mim, as duas primeiras semanas, durante a fase rígida, não foram fáceis. Tive que cortar tudo que adorava comer: pão, batata, arroz, massa. Para dizer a verdade, não me senti tão bem. Mas também não me senti mal, só que tinha a sensação de não ser eu mesma. Durante as três primeiras semanas, senti-me como se estivesse tirando todas as coisas ruins do meu organismo. E, embora nunca sentisse fome, continuava desejando tudo o que não podia comer.

E sabe de uma coisa incrível? Hoje, não tenho vontade de comê-las. A vontade acabou. Quando quero uma salada, posso comê-la, e com molho. Molho de verdade, não alguma porcaria com sabor terrível.

Minha mãe resolveu fazer a dieta quando viu que emagreci. Está com 81 anos e seu colesterol também estava alto. Depois das duas primeiras semanas, um dia ela me disse: “Sabe, estou com fome.” E eu respondi: “Mãe, o bom dessa dieta é que não temos que passar fome. Coma. Se estiver com fome, coma um pedaço de queijo.” Ela achava que, por estar fazendo dieta, tinha que passar fome. Seguiu meu conselho e começou a comer o que era permitido, e assim perdeu cerca de sete quilos, o que nunca tinha conseguido antes. Acredito realmente nessa dieta. Não costumo sair muito da linha. Não como massa, nem arroz. Posso comer arroz integral, mas não gosto. Não posso comer batata, só batata-doce e, mesmo assim, apenas assada. E não com muita freqüência. Não posso comer doces. Acrescentei pão, pois continuo adorando pão. Nem todos os dias, umas duas ou três vezes por semana. E nunca pão branco. Como pão integral, ou de centeio, ou *pumpernickel,* mas, mesmo assim, sempre verifico se há farinha branca em sua fórmula. Pois muitas vezes há. Por exemplo, o pão de centeio que compramos no supermercado leva farinha branca. Portanto, temos que estar atentos a isso.

Honestamente, a melhor parte desse programa é que não existe restaurante ao qual eu não possa ir. No almoço, praticamente todos os restaurantes oferecem salada com hortaliças, e queijo ou carne ou peixe. Da mesma forma, é fácil encontrar uma salada de frango ou de atum. Posso ir à lanchonete, pedir um sanduíche de frango grelhado e tirar o pão. Vou a um restaurante italiano e como vitela à parmegiana sem a milanesa, apenas com queijo e molho de tomate por cima. Vamos a um restaurante de carnes onde como coquetel de camarão e carne com uma hortaliça — aspargo ou vagem no vapor, e também posso acrescentar um pouco de manteiga, sem exagero. E como salada com molho *blue cheese*. E nada disso significa sair da linha!

Comecei a dieta há três anos, perdi 13 quilos e mantive o peso. Hoje, sinto-me bem de novo. Agora visto manequim 42, o que me deixa feliz. Adoraria perder outros quatro ou cinco quilos, mas não vou me matar por isso. Antes, vestia manequim 46, o que me obrigava a ir à loja de tamanhos grandes. Não era nada agradável, eu lhe garanto." ■

UMA BREVE HISTÓRIA DAS DIETAS POPULARES

Se você se sente confuso com relação às dietas de emagrecimento, saiba que não é o único. As dietas conhecidas vão de um extremo a outro com a maior rapidez: de pouca gordura e muito carboidrato a muita gordura e pouco carboidrato. Algumas enfatizam a importância do alto consumo de proteínas. Outras requerem combinações específicas de determinados nutrientes em cada refeição. No trabalho que desenvolvi durante muitos anos, descobri que é mais fácil fazer uma dieta quando entendemos bem seus fundamentos. É por isso que faço questão de dar uma visão geral dos princípios da dieta de South Beach.

Em primeiro lugar, vou contar-lhes uma breve história.

A era moderna, que apregoou o emagrecimento como o caminho para um organismo saudável, começa com as recomendações alimentares da American Heart Association. Estas recomendações surgiram a partir de estudos realizados no período posterior à Segunda Guerra Mundial, por um pesquisador pioneiro, Dr. Ansel Keys. Ele comparou os diversos tipos de alimentação à incidência de infartos em vários países do mundo e descobriu que, nos lugares onde a ingestão de gordura era menor, a saúde cardiovascular das pessoas era melhor. De um modo geral isso era verdadeiro, o que nos ajudou a entender como os alimentos afetam a saúde.

Porém, não era totalmente verdadeiro, e foram necessários muitos anos para entendermos completamente a relação entre nutrição e saúde – principalmente a cardíaca.

Ao realizar seus estudos sobre a relação entre a ingestão de gordura e as doenças cardíacas, o Dr. Keys descobriu uma exceção na ilha grega de Creta, onde, apesar de a ingestão de gordura ser alta, os índices de infarto eram baixos. Este fato ia contra tudo o que seus estudos indicavam, e por isso a exceção de Creta foi posta de lado, o que acabou sendo uma decisão infeliz.

As recomendações nos Estados Unidos para a diminuição da ingestão de gordura baseavam-se nas descobertas do Dr. Keys e em outros estudos semelhantes. Na época decidiu-se não realizar um estudo para testar os efeitos de uma dieta pobre em gordura porque iria requerer investimentos multimilionários. Preferiu-se estabelecer as diretrizes com base nos melhores índices disponíveis. Na verdade, é difícil medir os efeitos a longo prazo da alimentação sobre o sistema cardiovascular. A aterosclerose se desenvolve nas paredes dos vasos sangüíneos muito tempo antes de ser grave o bastante para causar infarto ou derrame. Assim, seriam necessários muitos anos para se completar o estudo da dieta ideal, e durante esse tempo o custo de monitorar os participantes do estudo poderia ser proibitivo.

Havia também um componente político nas diretrizes para ingestão de menos gordura – alguma coisa parecida com o conceito recente de "politicamente correto". No Senado americano, um comitê dirigido por George McGovern tinha por objetivo principal combater a má nutrição. Na década de 70, porém, o objetivo mudou, passando a ser a prevenção da supernutrição. A campanha começou com uma noção preconcebida: gordura era essencialmente ruim, e seu excesso, a principal causa da obesidade e das doenças cardíacas nos Estados Unidos. O comitê levantava a suspeita de que quem não acreditasse que a gordura era o Inimigo Público Número Um estava sendo influenciado indevidamente pela indústria da carne, do ovo ou dos laticínios. A conclusão foi de que a baixa ingestão de gordura e a alta ingestão de carboidrato se tornaram doutrina, embora não houvesse provas suficientes de que esse tipo de dieta tivesse efeitos positivos sobre a saúde geral.

Gordura versus carboidrato: a polêmica

Como estão os americanos atualmente, desde as recomendações alimentares de pouca gordura e muito carboidrato? Cada vez mais gordos. Além disso, o diabetes que surge na fase adulta – sinal óbvio de que a química sangüínea não está bem – se difundiu. O que deu errado? Primeiro, acreditou-se que a nova dieta americana imitaria a dieta com pouca gordura e muito carboidrato de países como China e Japão, que têm índices muito baixos de infarto. Naquele momento a indústria americana passou a oferecer alimentos saborosos com baixo teor de gordura. Criou alimentos deliciosos, altamente processados, inclusive biscoitos e doces, anunciados como alimentos com baixo teor de gordura e sem colesterol. Essa é a origem das chamadas "calorias vazias", censuradas por nutricionistas. Nos alimentos integrais, os açúcares e amidos estão ligados às fibras e nutrientes, de forma que, quando ingerimos arroz integral, absorvemos todos os componentes do alimento. O processamento do arroz, por exemplo, remove as fibras – e, conseqüentemente, os nutrientes – para facilitar e acelerar seu cozimento. Como resultado, absorvemos apenas o amido e as calorias – desprovidos das fibras e nutrientes necessários.

Além disso, a pirâmide alimentar do Departamento de Agricultura dos Estados Unidos foi desenvolvida com base nos chamados "carboidratos complexos": pão, massas, arroz. Como a maior parte dos americanos, entendi que poderia comer esses alimentos em abundância e ainda assim continuar magro, saudável e feliz para sempre. Aprendi, na faculdade de medicina, que o único efeito nocivo do açúcar eram as cáries dentárias. Se recordarmos o que acontecia na década de 70, lembraremos como o pão, as massas e o arroz eram produzidos para parecerem saudáveis quando comparados à carne e aos supostos danos provocados por ela.

O que aprendemos desde então? Bastante. Primeiro, que o conceito de fibra alimentar como importante componente da nutrição era desconhecido na época dos estudos de Ansel Keys. Só começamos a observar o papel crucial das fibras na década de 70. Até mesmo nessa época, a atenção se voltava sobretudo para o efeito das fibras sobre o funcionamento do cólon e do intestino. Em 1980, o Dr. Keys escreveu um livro resumindo seus estudos. Nele, sugere que as fibras *podem* ser uma importante variável que não fora incluída em seu trabalho anterior.

Acontece que os Estados Unidos e os países do Norte europeu com o mais alto consumo de gordura e altos índices de infarto também têm os menores níveis de fibras em seus carboidratos. Por outro lado, países menos desenvolvidos, com dietas ricas em carboidrato e pobres em gordura, têm *muitas* fibras em seus carboidratos. Na década de 90, a Faculdade de Nutrição de Harvard, sob orientação do Dr. Walter C. Willet, observou a relação entre as fibras e os índices de infarto. Descobriram que quando as pessoas ingerem carboidratos com alto teor de fibras – como hortaliças, grãos e farinhas não-processados –, o perigo causado pela maior parte das gorduras alimentares torna-se mínimo. Apenas a gordura saturada permanece como um fator passível de provocar infarto, e, mesmo assim, de forma relativa.

Quando a American Heart Association e outros órgãos americanos publicaram pela primeira vez suas recomendações de baixo consumo de gordura, a maior parte da gordura consumida nos Estados Unidos era do tipo não-saudável, saturada. Não se sabia muito sobre os efeitos das outras gorduras, como azeite de oliva, óleo de peixe, óleo de amendoim e assim por diante. Recomendava-se a diminuição da ingestão total de gordura, porque nem mesmo os especialistas entendiam completamente o papel da gordura na saúde. Em resposta a essa recomendação, a ingestão de gordura saturada *diminuiu* substancialmente. Na verdade, o colesterol total dos americanos diminuiu, mesmo quando eles engordaram. Por quê? Porque estavam comendo menos gordura saturada e mais gorduras boas, e o colesterol total diminuiu. Porém, embora o colesterol ruim estivesse mais baixo, o colesterol bom – o tipo que realmente melhora o funcionamento cardiovascular – também estava. Uma terceira gordura do sangue – os triglicerídeos, que contribuem para a obstrução das artérias – também estava mais alta, outro efeito negativo da obesidade.

Finalmente, aprendeu-se mais sobre a natureza das gorduras e carboidratos com relação ao ganho de peso. Grama por grama, as gorduras têm mais calorias do que os carboidratos. Sempre soubemos disso, mas não entendíamos bem o significado. Acreditávamos que os carboidratos engordassem menos. Na realidade, o oposto pode ser verdade. Quando comemos gorduras, ficamos saciados. Assim, sabemos quando parar de comer. Em contrapartida, carboidratos refinados causam rápidas mudanças nos níveis de açúcar no sangue e estimulam mais a fome, nos fazendo comer em excesso e causando a obesidade. Desconhecíamos completamente esse fato na época em que adotamos a fórmula pouca gordura e muito carboidrato.

No final da década de 70, o Dr. David Jenkins, da Universidade de Toronto, apresentou o conceito do índice glicêmico. O índice glicêmico mede o grau da elevação do açúcar no sangue causado pelo alimento, e portanto sua contribuição para o ganho de peso. Uma das descobertas surpreendentes foi que determinados amidos, como o pão branco e a batata, elevam os níveis de açúcar no sangue mais rapidamente do que o açúcar de mesa. As melhores intenções do Departamento de Agricultura dos Estados Unidos e sua pirâmide de alimentos acabaram sendo uma dieta baseada em açúcares! Foi a adoção generalizada desse tipo de dieta que causou o ganho de peso nos Estados Unidos. Diretrizes elaboradas para nos deixar magros e saudáveis na verdade acabaram nos deixando mais gordos e doentes.

Entendendo as dietas populares

Vamos ver o que aconteceu com as dietas divulgadas para o público durante trinta anos, desde que essas diretrizes foram publicadas. Inicialmente, a maior parte dos programas seguiu a doutrina do baixo consumo de gordura e alto consumo de carboidrato. A mais popular era a dieta Pritikin. Inicialmente ela exigia a restrição total de gordura, liberando parcialmente nos últimos anos as gorduras não-saturadas. Admiro os médicos da Pritikin que se empenharam em prevenir as doenças cardíacas, incentivando a prática de exercícios físicos. Porém, o problema da dieta Pritikin é que é difícil segui-la e requer um enorme esforço por parte do paciente. Além disso, o alto conteúdo de carboidrato da dieta pode piorar o colesterol e os triglicerídeos em determinados pacientes. Definitivamente, não é uma dieta para o público em geral.

No início da década de 70, o Dr. Robert Atkins escreveu *A Dieta Revolucionária do Dr. Atkins*, que chocou a todos por defender exatamente o oposto da doutrina da pouca gordura. Por exigir uma dieta rica em gordura saturada – presente em alimentos animais – e pobre em carboidrato, ele foi imediatamente denunciado pelo sistema médico e nutricional. A crítica foi desmoronada pelo fato de que a dieta parecia funcionar muito mais do que a dieta com baixa ingestão de gordura e alta ingestão de carboidrato da American Heart Association. E a dieta também foi atacada porque o Dr. Atkins limitava os carboidratos de forma tão rígida, que a gordura corporal era decomposta para servir de combustível, causando uma condição chamada cetose. Em indivíduos com excesso de peso ou obesos, mas saudáveis em outros aspectos, não tenho conhecimento de que a cetose seja perigosa. Mas ela está associada à diminuição do volume de líquidos e à desidratação, o que produz problemas em pacientes com distúrbios renais ou nos que tomam medicamentos para hipertensão.

Na minha opinião, o principal problema da dieta do Dr. Atkins é a liberação de gorduras saturadas. Hoje existem indícios de que, logo após uma refeição com gorduras saturadas, há disfunção nas artérias, inclusive nas que fornecem sangue ao músculo cardíaco. Em conseqüência, o revestimento das artérias (o endotélio) fica predisposto à constrição e coagulação. Imagine: nas circunstâncias certas (ou melhor, erradas), uma refeição rica em gordura saturada pode desencadear um infarto! Além disso, após uma refeição com alto teor de gordura, certos elementos do sangue, chamados partículas remanescentes, persistem por mais tempo do que seria saudável. Essas partículas contribuem para o desenvolvimento de placas nas paredes dos vasos sangüíneos. Não se sabia nada disso na época em que o Dr. Atkins desenvolveu sua dieta. Mas hoje sabemos.

Esses efeitos adversos não ocorrem quando consumimos gorduras não-saturadas. É por essa razão que incentivamos o consumo das gorduras "boas" na dieta de South Beach. Elas tornam as refeições saborosas e, ao mesmo tempo, contribuem para a saúde dos vasos sangüíneos.

O outro grande fenômeno em termos de dieta nos últimos anos foi o programa do Dr. Dean Ornish. A abordagem de Ornish é semelhante à de Pritikin. Exige a restrição total de gorduras e libera o consumo de carboidratos. Ele também recomenda exercícios físicos e técnicas de relaxamento. Em vários pequenos estudos, o Dr. Ornish demonstrou a melhora da saúde vascular como resultado dessa dieta. O maior problema que observo na abordagem de Ornish é o que ele mesmo reconhece: sua dieta é muito difícil de ser seguida. Outra questão é a restrição total das gorduras. A maior parte das gorduras poliinsaturadas e monoinsaturadas é benéfica para nós e nossos vasos sangüíneos. Então, por que não as usar para nos saciar e tornar as refeições mais saborosas? Outro problema é que, em determinados pacientes, a alta ingestão de carboidrato pode levar à síndrome do pré-diabetes, que discutiremos a partir da página 91. Como pelo menos um quarto dos americanos tem predisposição a essa síndrome e ela está presente em mais de 50% dos que sofrem infarto, trata-se de um problema significativo. Ornish desenvolveu sua dieta quando o efeito prejudicial dos carboidratos refinados era praticamente desconhecido. Hoje, o Dr. Ornish está recomendando mais os carboidratos com alto teor de fibras, que não levam ao pré-diabetes.

Conheço e admiro o Dr. Atkins *e* o Dr. Ornish. Eles questionaram o conhecimento convencional e ambos contribuíram para o crescente foco do país na prevenção do infarto através da melhor alimentação e do estilo de vida. Foram criticados pelo sucesso comercial de seus programas, mas perseveraram. Nos Estados Unidos, os problemas da obesidade e das doenças cardíacas só são controlados quando alguém populariza a ciência da nutrição.

Meu objetivo não é ensinar quais são os alimentos pobres em gordura e em carboidrato. Quero que você aprenda a escolher as gorduras e os carboidratos certos. Você aprenderá a gostar de alimentos que são saborosos, satisfazem o apetite e não geram fome depois de algumas horas. Desta forma, podemos desenvolver programas alimentares melhores para você emagrecer a curto prazo, manter o peso a longo prazo e ter a saúde ideal.

MINHA DIETA DE SOUTH BEACH

ELLEN P.: "PERDI NOVE QUILOS EM DOIS MESES E MEIO. O *BAT MITZVAH* DE MINHA FILHA MAIS VELHA SE APROXIMAVA E EU QUERIA EMAGRECER UNS NOVE QUILOS. Em toda minha vida, sempre pude comer de tudo e nunca engordei. Adoro doce. Chocolate. Meus amigos sempre tiveram inveja. Diziam: 'Como você pode comer tanto e não engordar?'

Portanto, foi um choque quando cheguei aos 40 anos e comecei a engordar. Acho que meu metabolismo mudou. De qualquer forma, não tinha muito conhecimento sobre dietas, porque nunca tive que fazê-las. Porém, ao pesquisar todos os programas de emagrecimento, cheguei à conclusão de que não seria possível para mim deixar de comer tudo o que como, tomar esses preparados para emagrecer ou coisas do tipo. Por isso, esta dieta foi perfeita para mim, pois nunca tive a sensação de que estava comendo alimentos de que não gostava, nem saía da mesa com fome.

O mais difícil, no início, foi cortar todas as frutas. Adoro frutas e sucos de fruta. Além disso, fico muito em casa com meus três filhos, e estou sempre preparando lanches para eles. Compramos biscoitos de chocolate pelo menos duas vezes por semana. Costumava comprar também muito sorvete. Eu comia uma bola de sorvete no meio da tarde. Ou uma fatia de torta. Ou biscoitos.

No começo, fiquei sem saber se conseguiria seguir a dieta. Quando alguém me diz 'Você não pode comer isso', me dá logo mais vontade de comer aquilo. Mas essa dieta foi mesmo muito boa, desde o começo. Meu marido fez junto comigo, e seguir a dieta tornou-se quase uma pequena competição entre nós. Embora não fosse necessário, nos pesávamos todos os dias.

O que mais gostei na dieta foi que emagrecemos imediatamente, e isso nos fez muito bem. Quando sentimos fome, podemos comer lagosta, camarão e carne, além de hortaliças, e não temos que nos impor muitos limites. Por incrível que pareça, nem foi tão difícil assim deixar os doces. Depois de algum tempo, o desejo de comer doce desaparece. E, quando tinha fome, comia uma fatia de peru ou um pedaço de queijo. Meu marido era fanático por pão. Se fôssemos a um restaurante, ele devorava todos os pães do *couvert.* Depois que começou a fazer a dieta, pedia ao garçom: 'Não traga pão para a mesa. Não queremos ficar tentados.' Fiz a dieta durante dois meses e meio e perdi nove quilos. A fase mais difícil da dieta dura apenas duas semanas, mas fiquei nela mais algumas semanas. Queria garantir que estaria bem mais magra antes do *bat mitzvah.* E a fase mais rígida não foi tão ruim assim.

Acho que agora estou na fase de manutenção. Não sou muito rígida, mas não tenho mais os desejos de antes. Nem olho para sorvetes quando saio para fazer compras, e olhe que eu adorava sorvete. Costumava comer sanduíches o tempo todo, e hoje como peru ou outra coisa com alface, em vez de pão. Coloco pedacinhos de carne na salada. Antes, raramente tomava café da manhã, mas agora não deixo de comer alguma coisa, e isso ajuda a seguir a dieta. Como ovo com *bacon,* o que me satisfaz até o almoço. Antes, apesar de não tomar café da manhã, se via algum pedaço de bolo ou biscoito pela frente, comia. De vez em quando, ainda como biscoitos, mas nada de doces. ■

UM DIA TÍPICO

Comecei este livro descrevendo resumidamente como seriam as semanas iniciais da dieta de South Beach. Agora vou narrar, em maiores detalhes, como é um dia típico.

Vamos começar pelo primeiro dia da Fase 1. Não tenho dúvidas de que você fez uma refeição memorável na noite anterior. Na hora, você teve uma vontade enorme de comer carboidratos, mas resistiu, e a vontade desapareceu durante o sono, sem causar grandes danos. Ao acordar hoje, sua corrente sangüínea praticamente voltou ao equilíbrio. O objetivo imediato é *mantê-la* assim. Vamos conseguir isso simplesmente não introduzindo carboidratos ruins no seu organismo.

Começaremos com uma omelete feita com dois ovos, acompanhada de duas fatias de lombo canadense, preparadas com um pouco de azeite ou óleo de canola. É provável que você sinta falta da torrada ou do pão que come habitualmente. Reconheça o desejo, resista a ele, pensando no benefício que vai obter. A vontade vai passar. Este será seu primeiro teste na nova dieta. Talvez você leve alguns dias para se desacostumar da dose matinal de carboidrato. Porém, nosso objetivo na Fase 1 é começar a reverter o que é a origem da maior parte dos problemas de obesidade: a incapacidade do organismo de processar açúcares e amidos adequadamente. Para tanto, precisamos cortar todos os carboidratos, exceto os mais saudáveis. Isso significa que poderemos ingerir os carboidratos com teor mais alto de fibras e nutrientes e com menor teor de açúcar e amido: apenas hortaliças e saladas, pelo menos durante essas duas semanas iniciais.

A combinação das proteínas do café da manhã (os ovos e o lombo canadense) com as gorduras boas (o azeite e o lombo, mais magro do que o *bacon* americano) manterá seu estômago cheio e ocupado com a digestão. Você não vai sentir fome agora nem mais tarde. Não precisa ser uma omelete de lombo canadense. Pode ser omelete com dois ovos e um pouco de aspargo, brócolis, cogumelo ou pimentão, o que introduz na omelete fibras vegetais benéficas. Uma omelete com presunto ou queijo *light* também é benéfica.

Para acompanhar a refeição, você pode tomar café ou chá, se gostar, com leite semidesnatado e adoçante. Existem muitos adoçantes atualmente, mas prefiro um derivado do açúcar não-calórico – sucralose. Algumas dietas proíbem café ou chá, pois a cafeína intensifica um pouco o desejo de comer determinados alimentos. Mas existem muitas opções que não nos obrigam a abrir mão do cafezinho pela manhã.

Um fenômeno que observei em pessoas com excesso de peso – sobretudo as mulheres, por algum motivo – foi que muitas delas não comiam nada no café da manhã. E não é porque não queiram consumir calorias. Elas afirmam que simplesmente não gostam de comer pela manhã. O problema é que isso ocasiona uma queda nos níveis de açúcar no sangue e causa mais fome ao longo da manhã, resultando em uma enorme vontade de comer no almoço carboidratos de valor questionável – exatamente do tipo que engorda. Portanto, pular o café da manhã é uma péssima idéia, sobretudo se você está tentando combater a obesidade.

O planejamento das refeições

Na Parte II, apresentamos um programa alimentar contendo as refeições e os pratos de cada uma delas, para cada fase da dieta. Como você verá, a variedade de cafés da manhã, até na fase rígida, é grande. Há uma fritada feita com salmão defumado, por exemplo, e o que chamamos de quiche de vegetais, feita com ovos e espinafre, que pode ser preparada antecipadamente e levada ao microondas na hora da refeição. Liberamos o uso dos ovos no café da manhã, o que assusta algumas pessoas que aprenderam a evitá-los devido aos problemas de colesterol. Acontece que os ovos não contêm gordura saturada e aumentam o colesterol bom junto com o ruim. A gema é uma boa fonte de vitamina E *natural* e também de proteína. Portanto, os ovos são permitidos. Na segunda fase da dieta, começamos a introduzir os carboidratos, até mesmo torrada de grãos integrais e *muffins*, junto com cereais com alto teor de fibras. As frutas também são introduzidas.

Mesmo que nao sinta necessidade de fazer um lanche no meio da manhã, você deve comer lá pelas 10:30. Seria ótimo se você tiver se lembrado de levar na bolsa um pedaço de queijo mussarela *light*. Como disse no capítulo anterior, os únicos alimentos semidesnatados que recomendo são queijo e iogurte, pois só eles não acrescentam carboidratos ruins para substituir as gorduras. Estes alimentos podem ser encontrados na maior parte dos supermercados. São saborosos, e sobretudo cumprem a tarefa de nos fornecer gorduras boas e proteínas. Isso significa que você não chegará à hora do almoço morrendo de fome.

Na hora do almoço, você pode comer uma salada de alface e tomate temperada com molho vinagrete à base de azeite de oliva e misturada com peixe ou frango grelhados. Pode beber água ou uma bebida sem açúcar. Num outro dia, poderá comer camarão grelhado com uma salada verde, ou tomate recheado com salada de atum. A salada *niçoise* também é ótima. Todos esses pratos podem ser preparados facilmente em casa e em geral também podem ser encontrados em restaurantes. Não pense em limitar a quantidade de comida que está comendo – nesta dieta o importante é comer bem. Alimentar-se com gosto é um dos maiores prazeres da vida e pode ser saudável se nos alimentarmos adequadamente. Faça isso e você estará livre para cometer extravagâncias de vez em quando.

Espero que você esteja começando a perceber que existe um padrão nessas refeições: em todas elas há combinações de carboidratos, proteínas e gorduras saudáveis. São pratos normais, do dia-a-dia, cujo objetivo é satisfazer totalmente a fome e, ao mesmo tempo, eliminar do organismo os açúcares e amidos de baixa qualidade que causaram tantos danos à química do seu sangue. Talvez você tenha observado que em nenhum momento falo em contar calorias, gramas de gordura, nem tamanho das porções. Na dieta de South Beach, você não tem que prestar atenção a nada disso. Uma característica marcante desta dieta é a simplicidade – a vida já é muito complicada para ainda termos que analisar minuciosamente cada alimento antes de consumi-lo. Se estiver comendo os alimentos certos, você não precisa se preocupar com a quantidade que está ingerindo. Como as gorduras e proteínas proporcionam a sensação de saciedade com muito mais eficácia do que os carboidratos refinados, você não precisará sentar na frente da TV a noite toda beliscando batata frita ou biscoitos durante horas!

Ao terminar de ler este livro, você terá uma visão geral dos alimentos que pode comer livremente, dos que precisa comer com moderação e dos que não deve comer. Entenderá os princípios do metabolismo, não de uma forma teórica, mas de maneira absolutamente prática, que o fará compreender como os alimentos afetam a química do sangue e assim determinam seu peso. Você aprenderá a controlar a química do sangue e o metabolismo através das escolhas alimentares.

Saber como os alimentos afetam o funcionamento interno ajuda a emagrecer e a manter o peso. No futuro, se você cometer algum deslize e descobrir que ganhou alguns gramas, saberá como reverter o prejuízo. O índice glicêmico dos alimentos, que é explicado e identificado nas páginas 85-89, será uma ferramenta importante para ajudar você a entender quais são os alimentos que contribuem para a obesidade. Depois que aprender os fundamentos da dieta, você terá todos os conhecimentos necessários para se alimentar adequadamente. Achará fácil preparar suas refeições em casa ou comer fora durante a dieta.

Como mudar a maneira de pensar

Chegamos ao meio da tarde, em geral o primeiro momento perigoso do dia. É o momento em que você normalmente tem vontade de comer açúcar, devido à queda natural dos níveis de açúcar no sangue e, conseqüentemente, da energia, que ocorre nessa hora. É aí que as pessoas tendem a correr para a lanchonete ou a padaria. Em vez de fazer isso, você pode comer algo da família das nozes – digamos, amêndoas puras (nem salgadas, nem defumadas). As nozes contêm gorduras boas e vão satisfazer seu apetite. Entretanto, se você exagerar na quantidade, acabará não emagrecendo. Recomendo contar 15 amêndoas, castanhas, ou qualquer outro tipo de noz que preferir. Algumas pessoas me contaram que preferem pistache, porque é pequeno, o que nos permite comer 30 deles. Além disso, quebrar e comer 30 pistaches é uma tarefa difícil, que leva mais tempo.

Chegou a hora de começar a falar sobre o jantar. A tendência recente à alimentação saudável nos levou a hortaliças frescas, peixe e carnes magras, que constituem o prato principal do jantar de nossa dieta. Portanto, a Fase 1 apresenta pratos como salmão grelhado ao limão, berinjela assada com salada, frango feito com vinagre balsâmico ou até grelhado marinado e cogumelos recheados com espinafre. Às vezes, pratos como esses são encontrados nos cardápios dos bons restaurantes. E olhe que esta é a parte *rígida* e mais dura da dieta! Como veremos na Parte II, nos planos de refeições da Fase 1, temos como base frango, peixe, carne magra e grande quantidade de hortaliças e saladas para acompanhá-los.

Recomendamos que você coma a sobremesa depois dessa refeição. A segunda hora perigosa do dia é entre o jantar e a hora de dormir. É nesse momento que todas as boas intenções e suas resoluções são testadas. Em parte, é simplesmente por causa da rotina noturna normal – beliscar lendo um livro ou na frente da televisão, talvez na companhia de amigos ou da família. É assim que se formam os hábitos do lanche noturno. Se você tem filhos, como eu, é quase certo que a cozinha contenha muitas tentações. Ou pode ser apenas que você tenha o hábito de comer um docinho depois de um saboroso jantar.

De qualquer forma, sugerimos duas estratégias básicas para a sobremesa durante a Fase 1. A primeira, e mais simples, é comer gelatina sem açúcar. No caso de pessoas que adoram frutas, a gelatina pode até compensar a perda dos sabores das frutas frescas durante essas duas semanas iniciais. A outra sugestão faz amplo uso da ricota semidesnatada. Podemos usá-la como base para diversas sobremesas deliciosas e permitidas. Isso sugere uma delícia da cozinha italiana conhecida como *tiramissu*, que mistura queijo, chocolate, café expresso e biscoitos amanteigados. Em seu lugar, pegue meia xícara de ricota e misture com algumas colheres de chá de cacau em pó sem açúcar, algumas amêndoas picadas e um envelope de adoçante. Tem um sabor excelente e garanto que, depois de comê-la, você sentirá como se tivesse comido uma sobremesa de verdade. Tentei diversas variações dela, usando extrato de baunilha ou de amêndoas, raspas de limão, ou até jogar calda de chocolate sem açúcar por cima da ricota e levar ao forno.

Este é o primeiro dia da dieta de South Beach! Quando tiver acabado de saborear o último pedaço da ricota com café ou chocolate, você terá começado a se afastar do desejo de ingerir alimentos que contribuíam para o excesso de peso que você deseja eliminar. Seu sangue estará diferente do que estava há 24 horas: certamente mais saudável. Passe outro dia assim e você chegará ainda mais perto do objetivo de emagrecer, e do meu objetivo para você: melhores condições de saúde em geral.

MINHA DIETA DE SOUTH BEACH

DANIEL S.: "ACHEI ESSA DIETA EXTREMAMENTE FÁCIL. FUI AO MÉDICO E DISSE QUE QUERIA EMAGRECER SEM TOMAR REMÉDIO.

Disse: "Tenho 61 anos e peso quase 120 quilos. Quando tinha vinte e poucos anos, pesava ainda mais – já cheguei a ter 136 quilos. Perdia parte do peso, mas depois engordava, e voltava a emagrecer. Fisicamente, estou em ótima forma. Colesterol, pressão arterial, coração, está tudo bom. Porém, estava me sentindo sem energia, incapaz de me movimentar da forma que devia.

Saio muito para jantar fora. E estava simplesmente acumulando muitas coisas ruins. Sou um consumidor estressado, que à noite se enchia de batata e massas, coisas assim. Empanturrava-me de pão.

No café da manhã, sempre comia bem. E, em geral, almoçava bem. O problema era no final da tarde, da hora do lanche até o jantar. À tardinha, comia uma barra de chocolate, biscoitos ou qualquer outra coisa do tipo. Obviamente, não era o que deveria comer.

E no jantar comia tudo o que queria. Sem freio. E nunca abria mão da sobremesa.

Eu diria que o principal motivo do meu fracasso eram os alimentos ricos em amido. A pior hora era das quatro às oito da noite. Mas, num dia estressante, eu começava a comer desde a manhã. Comia pão doce ou bolo. Eu pensava assim: 'Ora, se a vida é tão estressante, vou aproveitar o que puder.'

Fiz a dieta de South Beach durante aproximadamente um ano e dois meses. Como disse, já tinha feito centenas de dietas antes dela. Um milhão de dietas. Tive resultados muito bons e, às vezes, apenas moderados. Para mim, é muito fácil emagrecer, mas era quase impossível manter o peso. Perdia peso durante quatro, seis meses, depois recuperava tudo de novo.

Achei essa dieta extremamente fácil. Depois da fase inicial, a mais rígida da dieta, pude reintroduzir muitos alimentos em minha alimentação. Descobri que, à medida que reintroduzimos os alimentos, conseguimos ter uma vida razoavelmente normal, com algumas mudanças. O principal é saber que, depois do almoço, não posso comer pão, batata ou massa. Portanto, foi assim que passei esse último ano, sem comer qualquer um desses alimentos depois das cinco horas da tarde. Agora posso viver sem massa e batata. Mas o pão ainda é meu ponto fraco, e por isso uso estratégias para não cair em tentação. No restaurante, peço ao garçom que não traga pão para a mesa, e deixei de comprar pão em casa. Isso não significa que uma vez ou outra eu não tenha sucumbido. Mas quando comia pão, batata ou massa à noite, sabia que ia demorar mais para emagrecer. A consciência disso me ajudou a evitar esses três itens.

Em certas ocasiões, como por exemplo no meu aniversário, fui a um excelente restaurante italiano onde fazem massa caseira. Comi uma cestinha cheia de pão de alho. Foi fenomenal. Mas era meu aniversário, e eu quis me dar um prazer extra. Nessa noite, também comi sobremesa. Mas na noite seguinte, e desde então, não comi mais pão nem doces.

Às vezes, como um pãozinho no almoço ou no café da manhã. Nunca mais tarde do que isso. E não sinto falta. Esta é a diferença entre agora e antes. Há momentos em que vejo pão e penso: 'Queria tanto comer um pedaço...' Mas aprendi a viver sem ele." ■

BOAS GORDURAS, MÁS GORDURAS

Inicialmente, todas as gorduras da alimentação foram condenadas. Como a gordura saturada dominava e, ao que tudo indicava, era perigosa, presumia-se que todas as gorduras também eram. Para evitá-la na alimentação, um tipo especial de gordura poliinsaturada popularizou-se: as gorduras do tipo trans. São as gorduras parcialmente hidrogenadas, encontradas em muitos produtos industrializados, entre eles bolos, biscoitos e margarinas. No entanto, são tão perigosas ou mais do que as gorduras saturadas. Aumentam os níveis de colesterol ruim e estão associadas a infartos e derrames.

Um número cada vez maior de pesquisas demonstra que muitas gorduras não têm os efeitos negativos das gorduras saturadas e das gorduras do tipo trans. Na verdade, os indícios mostram que as gorduras insaturadas, não-trans, fazem até bem. Nos lugares onde óleos mediterrâneos são usados em abundância, os índices de infarto e derrame são muito baixos.

O estudo mais impressionante sobre dietas foi o Lyon Heart Study. Nele, a gordura mais monoinsaturada, o óleo de canola (assim como a gordura ômega-3), foi usada em uma margarina por metade dos pacientes estudados. Todos já tinham sofrido infarto, mas nos que utilizaram a gordura boa houve uma diminuição de 70% nos infartos.

Outro experimento clínico de grande porte, o GISSI Prevention Trial, mostrou que cápsulas de óleo de peixe – gorduras poliinsaturadas ômega-3 – diminuíram o número de mortes repentinas. Vários estudos de dietas revelaram que a ingestão de peixe algumas vezes por semana evita infartos e derrames. Parece que a gordura ômega-3 é um importante ingrediente ausente nas dietas ocidentais.

Finalmente, diversos estudos demonstraram que várias formas de nozes, ricas em gorduras mono e poliinsaturadas, ajudam a evitar infartos e derrames. Isso nos fornece uma grande variedade de alimentos, óleos e margarinas que tornam a refeição saborosa e, ao mesmo tempo, melhoram a saúde. Portanto, incluir as gorduras certas na dieta de South Beach foi ficando cada vez mais fácil, à medida que se desenvolveram mais estudos sobre as gorduras benéficas.

Depois de termos aperfeiçoado a dieta, ela parecia estar pronta para ser testada. Tiramos cópias das regras, de alguns planos básicos de refeições, da lista de alimentos permitidos e proibidos e de algumas receitas simples e começamos a distribuí-las aos pacientes. Mais uma vez, a principal prioridade *não* era o emagrecimento, e sim a melhora da saúde cardíaca do paciente, mudando a química de seu sangue. Queríamos uma dieta que diminuísse o nível de triglicerídeos (gorduras transportadas pelo sangue, que são necessárias, mas que, em excesso, causam graves danos cardiovasculares) e LDL (lipoproteínas de baixa densidade), o chamado colesterol ruim. Buscávamos a diminuição do LDL em termos absolutos e comparado ao nível de HDL (lipoproteínas de alta densidade), o chamado colesterol bom.

E também estávamos tentando afetar mais um fator, o que a maior parte dos cardiologistas infelizmente ainda não reconheceu: o tamanho real das partículas de LDL. Quando são pequenas, elas penetram facilmente no revestimento dos vasos sangüíneos, estreitando as passagens com o desenvolvimento de placas de gordura que acabam causando infartos e derrames. Aprendemos que, fazendo a dieta correta, é possível aumentar o tamanho das partículas de LDL, impedindo-as de penetrar imediatamente no revestimento dos vasos sangüíneos e, portanto, de obstruir as artérias, causando emergências. A maior parte dos médicos não realiza testes para verificar esse fator crucial. Na verdade, hoje a maior parte dos laboratórios ainda não tem o equipamento necessário para medir o tamanho das moléculas de LDL. Entretanto, no futuro próximo, essa medida vai se tornar um procedimento-padrão, tão comum quanto o atual exame de colesterol.

Obviamente, nosso objetivo secundário era o emagrecimento, pois ele indica que a química do sangue também está sob controle. Eu não acreditava que meus pacientes chegassem à perfeição física, diminuindo a gordura corporal geralmente associada a essa idade. E, francamente, nem eles.

Quase que imediatamente os pacientes que seguiram nossa dieta começaram a ter resultados positivos. Sua química sangüínea melhorou radicalmente.

Quando um paciente que morava nas Bahamas nos procurou, estava totalmente fora de forma. Os exames revelaram alto nível de triglicerídeos, colesterol ruim e pequenas partículas de LDL: a tripla ameaça. Para piorar, ele tinha jurado que jamais praticaria exercícios, pois os detestava. E recusava-se a abrir mão de seu adorado sorvete diário. Com tais atitudes, estava no caminho certo para os problemas. Porém, com nossa dieta, sua química sangüínea melhorou rapidamente. O nível de triglicerídeos diminuiu, assim como o de colesterol ruim, e o do colesterol bom aumentou. Esse paciente nunca praticou exercícios, e *continua* tomando seu sorvete diário. Porém, em conseqüência da dieta, perdeu cerca de 13 quilos e vem mantendo o peso há cinco anos.

Outro homem tinha cinqüenta e poucos anos quando me procurou. Estava hipertenso, o nível de colesterol e de triglicerídeos bastante alto, e já apresentava um estreitamento notável nas artérias coronarianas. Para tratar desses problemas, seu médico anterior tinha receitado o habitual coquetel diário de medicamentos, do qual dependiam todos os pacientes cardíacos. Esse homem fez a dieta, e logo seu perfil cardíaco melhorou. Os triglicerídeos, por exemplo, que tinham passado da marca dos 400 – nível assustadoramente alto –, depois de um mês tinham caído para 100, um nível normal. Ele perdera mais de 13 quilos, e conseguiu manter o peso. Não está mais tomando todos aqueles medicamentos para o coração.

Outro paciente, um médico – por incrível que pareça –, também era diabético, estava com excesso de peso e recentemente tinha começado a sentir dores no peito. Foi submetido a uma angioplastia para desobstruir uma artéria que começara a fechar de novo. Depois da primeira consulta, receitei-lhe a dieta. A esposa preparava a comida, e achou mais fácil comer o mesmo que o marido, em vez de preparar dois jantares diferentes. Ela também emagreceu. Essa dinâmica específica tem sido uma agradável surpresa para nós: casais emagrecendo e melhorando a saúde cardíaca juntos, porque um dos dois tem que fazer dieta. A dieta torna-se um esforço conjunto e eles se ajudam mutuamente para se manter na dieta. Na verdade, a esposa do médico emagreceu mais do que ele. Os dois, juntos, perderam mais de 36 quilos. E logo sua química sangüínea se normalizou. O problema de diabetes do médico foi resolvido, e hoje ele não precisa mais de medicamentos para controlar os níveis de açúcar e colesterol no sangue. Com um ganho adicional: as artérias ficaram limpas.

Esses pacientes cardíacos perderam quatro, nove, treze e até vinte quilos em meses. Começaram a emagrecer logo na primeira semana de dieta e conseguiram manter o peso. O melhor de tudo é que relataram não ter sido difícil seguir a dieta. Os poucos princípios básicos eram simples e fáceis de lembrar, e as regras, flexíveis. As pessoas afirmaram que nunca sentiram fome nem se privaram de algo. Depois de algum tempo, mal percebiam que estavam fazendo dieta.

A maior parte desses pacientes, homens ou mulheres, tinha o que chamamos de obesidade central – peso excessivo concentrado no abdômen. Medimos a proporção entre a cintura e o quadril para avaliar o padrão de obesidade do paciente: ter a cintura maior do que os quadris é sinal de advertência para problemas cardíacos presentes ou futuros. A primeira parte do corpo afetada por nossa dieta é a cintura, onde a gordura da pessoa de meia-idade tende a se armazenar. Por isso é ali que a perda é mais evidente. Sentirem-se mais magros depois de apenas uma semana de dieta foi muito estimulante e reforçou a motivação para perseverar.

Depois de anos receitando dietas que fracassavam, eu estava admirado com os resultados.

Entretanto, logo depois ocorreu ainda outra surpresa agradável. Começamos a receber ligações e relatos de amigos e conhecidos de nossos pacientes que, tendo ouvido falar da dieta, a experimentaram e conseguiram emagrecer. Descobrimos que os pacientes tinham começado a aconselhá-la aos familiares, amigos e parentes distantes. Graças ao *e-mail*, a dieta estava se espalhando como fogo na mata. Pessoas sem problemas cardíacos, até os habitantes mais jovens e sofisticados de South Beach, ouviam falar da dieta, experimentavam e emagreciam. Começamos a receber vários telefonemas de pessoas desconhecidas perguntando o que a dieta permitia, pedindo receitas e contando casos de pessoas que emagreceram rapidamente e sem sofrimento.

Foi então que os repórteres começaram a nos ligar. É impressionante o espaço que há nos jornais e revistas dedicado ao emagrecimento. A dieta ganhou destaque. No início de 1999, recebemos uma ligação do produtor de um telejornal da WPLG, estação local de televisão afiliada à ABC. Tinham ouvido falar da dieta e nos fizeram uma proposta: descobririam alguns habitantes de Miami Beach que queriam emagrecer e se propunham a seguir a dieta. Os programas das 6 e das 11 da noite acompanhariam seu progresso diariamente, durante um mês inteiro. Ficamos entusiasmados com a idéia e confiantes no resultado.

A série passava todos os dias, nos horários dos programas mais populares. Centenas de habitantes de Miami fizeram a dieta e emagreceram. A WPLG liderou o índice de audiência, ficando em primeiro lugar entre os programas jornalísticos noturnos, e este sucesso foi atribuído, em parte, ao projeto da dieta de South Beach. Seu diretor jornalístico nos disse que recebeu centenas de ligações e *e-mails* procurando cópias do programa. A série da dieta de South Beach transformou-se em um evento anual da estação durante três anos. Dois supermercados distribuíam folhetos com a dieta, explicando as receitas. E também houve um grande aumento de vendas dos itens que recomendávamos.

Aceitei muitos convites para discutir a dieta em congressos médicos, onde cardiologistas e outros especialistas se reuniam para debater tratamentos, prevenção e dieta. Por ser cardiologista, esperava, no início, ser submetido a um rigoroso questionamento sobre meus conhecimentos de nutrição. No entanto, ficou claro que a dieta era cientificamente segura. E, melhor ainda: os próprios médicos começaram a experimentá-la e a me relatar seu êxito. Portanto, muitos médicos emagreceram e melhoraram a química sangüínea com a dieta de South Beach, que ficou conhecida como "dieta dos médicos".

Grande parte das pessoas que seguiam a dieta e nos procuravam através da cobertura jornalística da TV estava na casa entre os 20 e 30 anos de idade. Uma jovem, com quase 14 quilos a mais, vinha tentando engravidar há sete anos. Experimentou a dieta, emagreceu em alguns meses e logo descobriu que estava grávida. Embora desejássemos receber os créditos pela agradável virada dos acontecimentos, só depois de um ano descobri por que a dieta lhe permitira engravidar. Existe uma doença chamada síndrome do ovário policístico, que normalmente causa irregularidades menstruais e infertilidade em mulheres jovens. Isso ocorre devido à resistência à insulina ou ao pré-diabetes. Ao reverter essa síndrome com a dieta, a jovem emagreceu e sua menstruação se normalizou. Agora, está cuidando da linda filhinha. Outra mulher, uma empresária, na casa dos trinta anos, fez com que todos da empresa seguissem a dieta, e todos emagreceram juntos. Grande parte das enfermeiras do hospital Mount Sinai conheceu a dieta e começou a fazê-la. Muitas vezes me pararam nos corredores do hospital para me contar como tinham emagrecido.

Ficamos incentivados pela facilidade de se aprender – e praticar – os princípios do programa. Por exemplo, um dos operadores de câmera do telejornal relatou que emagreceu com base apenas nas informações obtidas durante minhas entrevistas. Há alguns anos, descrevi os princípios da dieta, quase que de improviso, a um jovem colega em um encontro médico. Um ano mais tarde, tive uma agradável surpresa ao saber que ele havia perdido cerca de 27 quilos, baseando-se em minha breve explicação. Esta se tornou a marca da nossa dieta: os fundamentos são facilmente aprendidos e aplicados, sem regras complicadas, tabelas, nem cálculos.

Um sistema comprovado

Tinha chegado o momento de medir cientificamente nossos resultados. Primeiro, acompanhamos detalhadamente o peso e os resultados dos exames de sangue de sessenta pacientes que fizeram a dieta. Os resultados foram bastante encorajadores: quase todos emagreceram, seu nível de triglicerídeos e de colesterol LDL diminuiu, e o de colesterol HDL aumentou, melhorando a proporção cintura-quadril. Apresentei esta experiência inicial em um simpósio do NHLBI (National Heart, Lung and Blood Institute), no encontro anual da American Heart Association. O diretor do NHLBI foi mediador da sessão. Eu já apresentara pesquisas em reuniões como essa, mas sempre na área de geração de imagens cardíacas, minha especialidade. Naquele momento, ao falar sobre dieta e nutrição, estava fora de minha zona de segurança, o que me deixava bastante nervoso. Temia ser inundado por perguntas sobre questões que não tínhamos considerado. Em vez disso, a primeira reação da platéia foi me parabenizar por ter a coragem de desafiar a doutrina do baixo teor de gordura da American Heart Association. Ficou claro que grande parte dos médicos daquela sala também tivera resultados desestimulantes ao recomendar dietas com baixo teor de gordura e alto teor de carboidrato. Senti um grande alívio e bastante entusiasmo por achar que estávamos no caminho certo.

Foi então que realizamos um estudo confrontando nossa dieta com a rígida "segunda etapa" da dieta da American Heart Association. Escolhemos aleatoriamente quarenta voluntários que estavam acima do peso e os dividimos em dois grupos, metade fazendo a dieta da Associação, e a outra, a dieta de South Beach. Nenhum sabia a origem da dieta. Após 12 semanas, cinco pacientes que seguiam a dieta da Associação tinham desistido, enquanto apenas um do programa de South Beach desistira. Quem fez a de South Beach emagreceu 6 quilos, quase o dobro dos 3,5 quilos perdidos pelo grupo que fez a outra dieta. Nossos pacientes também diminuíram mais a proporção cintura-quadril, o que sugeriu um risco cardíaco menor. O nível de triglicerídeos diminuiu radicalmente no grupo dos que fizeram a dieta de South Beach, e a proporção colesterol bom para ruim melhorou mais do que a do grupo da Associação. Apresentamos esse estudo no encontro anual do American College of Cardiology, onde foi bem recebido. Percorremos uma longa estrada desde que decidi ser o Voluntário Número Um da dieta de South Beach.

A essa altura, a etapa seguinte se tornou clara: era o momento de colocar tudo o que aprendemos em um livro e fazer com que o que aconteceu em Miami acontecesse em todo o país.

MINHA DIETA DE SOUTH BEACH

MICHAEL A.: "PERDI QUASE 16 QUILOS EM QUATRO MESES.

Comecei a fazer essa dieta porque minha mãe tinha visto uma matéria sobre ela no telejornal local de Miami. Ela era cardíaca e estava preocupada com minha saúde – eu tinha 36 anos na época e pesava cerca de 113 quilos. Portanto, como presente de dia dos pais, ela marcou uma consulta com uma nutricionista no hospital Mount Sinai.

Meu vício alimentar era a quantidade. Não sou de comer doces. Gostava de tomar cerveja, sobretudo nos fins de semana. Isso foi duro de cortar. No café da manhã, só tomava um café. No almoço, comia salada ou massa. Mas beliscava o dia inteiro – comia tudo o que levavam para o escritório. Torresmo. Biscoitos. E meu jantar era normal: um tipo de carne ou peixe, com batata, arroz ou massa. Muitos alimentos repletos de carboidratos. Mas tudo em grandes porções.

Nos fins de semana era ainda pior. Saía para comer fora, às vezes na sexta-feira, sábado e domingo, e tomava um ou dois drinques no jantar. Em geral, comida de restaurante não é a mais saudável. Além disso, não praticava exercícios.

A nutricionista disse que meus hábitos não eram ótimos, nem terríveis. O problema estava na combinação do que eu comia, na quantidade de comida e no fato de não me exercitar. Eu tinha tentado fazer dietas antes e conseguira emagrecer. Certa vez, fiz uma dieta durante quatro meses. Mas, quando parei, recuperei todo o peso.

Finalmente, comecei a dieta de South Beach há cerca de um ano, quando estava pesando mais do que nunca. Cheguei a não caber mais em minhas roupas, e me recusava a sair para comprar roupas novas. Foi então que minha mãe me deu de presente a consulta com a nutricionista. Os primeiros dias não foram tão ruins. A nutricionista me explicou a fase inicial rígida da dieta, e eu disse que poderia fazê-la por duas a quatro semanas. Sou louco por carne. Portanto, na fase inicial, que permite quantidades ilimitadas de proteína magra, estava ótimo para mim. O que deixei de comer de carboidratos substituí por carne, portanto não tive fome. No café da manhã, ovos com um pouco de presunto. Disseram que eu teria que cortar o creme do café por causa da gordura. Então experimentei os cremes sem carboidrato e sem leite, e simplesmente não consegui. Disse que não conseguiria cortar isso. Uso apenas um pouquinho. Essa alimentação me sustentava bem até o almoço, quando eu comia uma pequena salada com uma porção decente de presunto, peru ou frango fatiado. À tardinha, quando sentia fome, lanchava queijo *light.* Bebia bastante água. No jantar, em geral, comia peito de frango ou carne grelhada. Uma pequena porção de hortaliças, mas não muito. Estava tentando realmente cortar carboidratos. Nada de fruta durante as primeiras quatro semanas. Só bebia água. Durante esse período, também comecei a praticar exercícios. Três ou quatro vezes por semana, caminhava na esteira daqui de casa, durante trinta a quarenta minutos. Fazia a mesma alimentação da semana nos fins de semana. Se fosse a um restaurante, consumia uma pequena salada com molho *light* e depois uma carne. Nada de cerveja, álcool, sobremesa, batata assada, arroz. Fiz a fase inicial durante quatro semanas, em vez das duas que me recomendaram, porque achei fácil e comecei a ver resultados. As comemorações do Dia da Independência ocorreram na primeira semana da dieta. As pessoas chegavam bebendo e comendo todo tipo de guloseima. Mas não saí da dieta.

Depois do primeiro mês, comecei a introduzir carboidratos com índice glicêmico menor. Consumia saladas maiores e acrescentei algumas frutas, das quais realmente sentia falta. Comecei comendo uma maçã ou

uma pêra depois do almoço. Descobri um pão de trigo integral na seção de alimentos naturais do mercado local. Tinha muito pouco carboidrato e, em alguns dias, eu fazia um sanduíche com ele em vez da salada. Entrei de férias naquele verão e passei muito bem. Segui a dieta, não engordei, mas também não emagreci. Quando voltei para casa, retomei a fase rígida, recomeçando também os exercícios físicos. Na minha consulta seguinte com a nutricionista, acrescentamos algumas hortaliças, como batata-doce, arroz selvagem, arroz integral, abóbora, favas e legumes.
Depois de aproximadamente quatro meses, eu tinha perdido quase 16 quilos. Meu objetivo inicial era uma redução de 10% do peso em seis meses. Alcancei essa meta em quatro meses. Minha próxima meta seria mais 10%, num total de quase 23 quilos. Do dia de Ação de Graças ao Ano Novo não segui a dieta rigorosamente. Mesmo assim, fui bem. Acabei ganhando cerca de três quilos durante os feriados. Em janeiro, voltei à fase rígida da dieta e aos exercícios.
Fiz essa dieta durante quase oito meses. Nunca tinha sido capaz de persistir por tanto tempo. Mas ela não é difícil, porque podemos fazê-la quando estamos de férias ou quando saímos para comer fora. É preciso apenas um pouco de disciplina e força de vontade. Quando as pessoas começam a comer sobremesas perto de mim, de vez em quando provo um pouco. Mas não como uma sobremesa inteira sozinho.
Ainda tenho que perder de sete a nove quilos. Estou confiante de que, em algum momento deste ano, com exercícios e dieta, chegarei lá."

ALÔ, PÃO

Depois de passar pelas duas semanas da Fase 1 e se livrar do vício do açúcar, está na hora de começar a acrescentar mais carboidratos à dieta. A essa altura, a síndrome da resistência à insulina já deve ter desaparecido. Além disso, a vontade de comer açúcares e amidos praticamente acabou. É um novo começo.

Imaginávamos que o desafio nesse momento fosse impedir que as pessoas quisessem acrescentar muitos carboidratos com alto índice glicêmico, mas, em geral, ocorre exatamente o oposto: as pessoas relutam em deixar a segurança da Fase 1 e começar a comer os tipos de alimento que as engordaram antes da dieta. "Se foi pão ou arroz que me engordaram, por que desejaria recomeçar a consumi-los? Não quero desfazer todo o bem que acabei de conquistar. Certamente não quero retardar meu emagrecimento."

Mesmo assim, existem diversos bons motivos para adicionar mais carboidratos. Em primeiro lugar, muitos são benéficos, sobretudo os das frutas. Até o pão, se for do tipo integral, traz benefícios nutricionais. Além disso, é importante que as pessoas aproveitem os alimentos como nunca e tenham diversas opções de pratos e ingredientes à sua disposição. As pessoas adoram comer, e é possível aproveitar essa paixão, mesmo quando não podemos comer tudo o que queremos com total liberdade.

Obviamente, os carboidratos com índice glicêmico alto são acrescentados aos poucos. Em geral, recomendamos que você comece com um pedaço de fruta por dia, algo que não provoque um grande aumento de açúcar no sangue. Maçã é uma boa escolha, pois seu índice glicêmico é baixo e há muitas fibras benéficas na casca. O *grapefruit* ou a lima-da-pérsia são outras escolhas seguras, assim como as frutas vermelhas.

Nesse estágio, entretanto, aconselhamos os pacientes a *não* ingerir fruta no café da manhã. Às vezes, a fruta causa um choque maior de insulina se for o primeiro alimento ingerido no dia, desencadeando mais vontade de comer. E, embora a fruta inteira tenha grande quantidade de fibras, ela também contém quantidades substanciais de frutose – o açúcar da fruta. Portanto, guarde-a para depois do almoço ou do jantar.

Outro carboidrato que pode ser adicionado nos primeiros dias da Fase 2 é o cereal, ingerido frio, como o All-Bran com fibras extras, da Kellogg's, ou o tradicional (não instantâneo) mingau de aveia. A dieta de South Beach nunca exige que você pese os alimentos. Mas aconselhamos quem está voltando a ingerir arroz na dieta a comer porções do tamanho máximo de uma bola de tênis. E se for comer batata, não escolha as maiores do supermercado.

De qualquer maneira, caso opte pelo mingau de aveia, sugerimos que o consuma com adoçante e leite desnatado. Acrescentar um ovo, que contém proteína e gordura boa, retardará a absorção dos carboidratos.

Caso decida adicionar o carboidrato no jantar e não no café da manhã, você poderá comer uma fatia de pão de trigo integral à noite, sem medo de causar danos. Mas não é permitido consumi-lo no café da manhã *e* no jantar, pelo menos não no início. Eis aqui o princípio para adicionar mais cereais de forma segura: faça-o de forma gradual e cuidadosa. O objetivo é voltar a ingerir mais carboidratos e, ao mesmo tempo, continuar emagrecendo. Se você acrescentar uma maçã e uma fatia de pão por dia e continuar emagrecendo, está ótimo. Se estiver experimentando comer uma maçã, duas fatias de pão e uma banana por dia e perceber que parou de emagrecer, foi longe demais. É hora de cortar ou experimentar alguns carboidratos diferentes e monitorar os resultados.

Durante a Fase 2, continue indo com cautela, ingerindo os carboidratos mais benéficos e prestando atenção na maneira como afetam você.

Não estou dizendo para se pesar todos os dias. Na verdade, sou contra isso. Em geral, sabemos quando estamos engordando, pois as roupas nos revelam isso. Você também deve descobrir quais são os alimentos que aumentam sua vontade de comer. Ninguém passa por essa fase da mesma forma. Alguns podem comer massa uma vez por semana e não sofrer efeitos prejudiciais. Outros têm que evitar massas, mas se dão bem com batata-doce. Você é quem deve calcular essa dinâmica, pois queremos uma dieta flexível e adaptável aos seus gostos e hábitos. Nossa meta é ajudar você a encontrar uma dieta repleta de alimentos que você adora comer. Essas regras são suficientes para que você crie sua própria versão do programa.

Descobrimos que as pessoas mais bem-sucedidas na dieta são as que experimentam todas as receitas imagináveis e tiram proveito de todos os alimentos e ingredientes permitidos. Usam, de forma criativa, ervas e temperos, sobretudo os que têm sabor mais forte, como pimenta, alho, canela, noz-moscada e rábano. Um paciente inventou uma nova sopa feita com todas as hortaliças verdes que encontrou.

Aqui, o inimigo é o tédio. Ele leva as pessoas de volta aos seus antigos maus hábitos. Portanto, em cada estágio, o melhor é fazer com que essa dieta seja a mais variada e gostosa possível.

A estratégia mais eficaz para alcançar os objetivos é utilizar substituições criativas. Este é um dos pilares dessa dieta: substituir carboidratos ruins pelos bons, de forma que você acabe comendo o que gosta, mas com ligeiras variações.

Já discutimos os elementos básicos: pão integral no lugar do branco, batata-doce em vez de batata, arroz integral ou arroz selvagem no lugar do branco, massa de trigo integral. Essas substituições fazem com que você consiga tornar essa dieta eficaz. Porém, há diversos outros truques.

A seguir, um truque fantástico para substituir o purê de batata, que todos amam e que obviamente arruína qualquer dieta. No lugar da batata, cozinhe um pouco de couve-flor no vapor, fresca ou congelada, não faz diferença. Pode-se cozinhar até no microondas. Depois que estiver macia, amasse-a com um pouco de manteiga *light*. Então, misture um pouco de leite desnatado, que também é saboroso e saudável. Adicione sal a gosto, e terá algo que, com toda a honestidade, não fica nem um pouco atrás do verdadeiro purê.

Quando iniciamos a dieta, fizemos sucesso orientando os pacientes a fazer sanduíches substituindo o pão por folhas de alface. Colocavam o recheio dos sanduíches – carne ou peixe, queijo, hortaliças, até condimentos – e os enrolavam com alface crocante. Descobriram, surpreendentemente, que o pão não é parte fundamental do sanduíche, como julgavam. Era o recheio, muito mais do que o pão, que conferia o melhor sabor e matava a fome. Sugerimos também diversas misturas que vieram da década de 50: alimentos recheando outros alimentos, como tomates recheados com salada de atum. As pessoas experimentavam essas combinações com qualquer hortaliça de tamanho suficiente para ter recheios: berinjela, abobrinha e alcachofra recheadas eram as favoritas.

Experimentamos também alguns truques para a sobremesa. Os amantes do chocolate adoram ingeri-lo em grandes quantidades, mas não percebem que mesmo quantidades menores podem saciar seu desejo. Em vez de uma sobremesa enorme de chocolate, experimente morangos mergulhados em chocolate meio-amargo, que tem menos açúcar do que o chocolate com leite. Bastam alguns morangos para matar a vontade, e você acaba ingerindo uma quantidade relativamente pequena de chocolate e muito maior da fruta. Sugerimos também que as pessoas cortem bananas em pedaços, as congelem e depois mergulhem os pedaços em uma calda de chocolate sem açúcar. Mais uma vez, satisfaz qualquer vontade de comer doce, com uma pequena quantidade de chocolate.

Ao usar a estratégia da substituição, você pode continuar consumindo alimentos e delícias que outras dietas baniriam para sempre. Contudo, antes de mais nada, é preciso saber exatamente quais são os ingredientes que devem ser substituídos. Os alimentos e combinações de alimentos listados a seguir podem, com modificações, ajudar você a emagrecer, em vez de retardar o emagrecimento.

Ovos com *bacon*

Até recentemente, a visão dominante da nutrição, ao observar o clássico café da manhã americano composto por ovos, *bacon,* batata frita, torrada, suco de laranja e café, imediatamente separaria o que não é considerado saudável – ovo (colesterol), *bacon* (gordura) e café (cafeína) – do que é considerado bom – batata (hortaliça, pão – nada mais saudável do que a torrada, certo?) e suco de laranja (toda a vitamina C).

Obviamente, com base no que sabemos hoje, essa visão está errada. Isso é o que há de mais frustrante com relação à ciência: o que se considera bom hoje pode ser condenado amanhã, e vice-versa. Mas o que acontece é que nosso conhecimento está sempre aumentando, e nesse processo às vezes é preciso reformular o que julgávamos correto.

O café da manhã é um bom exemplo. Na época da Segunda Guerra Mundial, o ovo era considerado saudável, com alto teor de proteína e outros nutrientes. Foi no início da década de 70 que os médicos começaram a observar os efeitos nocivos do colesterol, e o ovo se tornou o principal vilão. Éramos aconselhados a limitar seu consumo a duas ou três vezes por semana, e a deixar de consumi-lo se tivéssemos colesterol alto. O *bacon,* também, devido às gorduras saturadas e substâncias químicas usadas para curá-lo, foi retratado não apenas como nocivo, mas também tóxico. Não nos preocupávamos com carboidratos, especialmente com o suco de laranja, que se tornou a bebida saudável preferida nos Estados Unidos.

Hoje, sabemos que o ovo é um alimento perfeitamente bom. O que ocorre é que ele eleva os dois tipos de colesterol, o bom e o ruim, e não tem qualquer efeito nocivo sobre a proporção dos dois, que é o que realmente conta. A gema contém vitamina E natural, importante antioxidante que ajuda a prevenir o câncer e as doenças cardíacas.

Até o *bacon* não é tão terrível, desde que você não exagere. O café também é aceitável, se tomada a mesma precaução.

No entanto, o resto do café da manhã tem que sair. E quanto às batatas? Já sabemos como é alto o seu índice glicêmico, sobretudo das batatas inglesas. E quando um alimento é cortado em pequenos pedaços, fornece seus açúcares e amidos com mais rapidez. Pegue uma batata inglesa, corte-a em palitos finos e frite-a em algum óleo que não seja saudável. É delicioso, mas causa danos enormes à química do sangue.

E a torrada? Agora você sabe como pão branco é ruim para quem está tentando emagrecer. Cada fatia é pior do que uma colher de açúcar. Mesmo que o rótulo diga que o pão é "enriquecido", não leve a expressão ao pé da letra. Os produtores acrescentam nutrientes para compensar os nutrientes naturais do trigo que foram removidos junto com as fibras. As pessoas hoje se sentem bem quando pedem torrada integral ou de centeio, outro triunfo do *marketing* e dos rótulos, pois o termo "trigo integral" quase não tem significado. O pão pode ter mais nutrientes, mas a farinha ainda é altamente refinada. Esse rótulo não significa que temos o grão inteiro do trigo, a fibra e tudo mais, como deveríamos – isso só ocorre com o pão de *grão* integral. E este pão raramente é encontrado no supermercado ou na mesa do café do restaurante.

Você decidiu, por motivos de saúde, passar geléia em vez de manteiga na torrada? O problema é que a maior parte das geléias está repleta de açúcar. Na verdade, uma quantidade limitada de manteiga seria melhor, já que a gordura retarda a absorção dos carboidratos do pão. Existem alimentos que são melhores para se comer com pão do que manteiga, mas a geléia não é um deles. O mesmo vale para geléias com pedaços de fruta. Estão repletas de sacarose – o açúcar de mesa.

E aquele suco de laranja? Se for industrializado e vendido na caixa, você poderia beber refrigerante e ter quase os mesmos resultados. Existem bons nutrientes no suco de laranja, mas você poderá obtê-los de diversas maneiras, sem ter que ingerir todo o açúcar que vem junto com o processamento do suco. O suco fresco espremido é, de certa forma, melhor, pois contém fibras – a polpa – que retardam a absorção da frutose. Tendemos a acreditar que o doce da fruta e o doce da bala são duas coisas totalmente diferentes, mas não são. Todos os sabores que descrevemos como doce vêm dos açúcares. A frutose, açúcar encontrado na fruta, tem, na verdade, um índice glicêmico menor do que o açúcar de mesa. Misturada com fibras, a frutose é aceitável. Sem fibras, pode estragar a dieta. Portanto, coma a fruta inteira em vez de beber o suco.

Você pode manter seu café da manhã favorito e fazer a dieta de South Beach? Sim, com algumas modificações.

Cozinhe os ovos de forma saudável, fervendo-os na casca ou fazendo-os *poché*. Se for fritá-los, utilize óleo de canola ou azeite de oliva, em vez de manteiga ou margarina.

Experimente o lombo canadense, no lugar do *bacon* – é mais magro, tem menos gordura saturada e mais proteína do que o outro.

As batatas têm que ser banidas – não há como salvá-las. Porém, podem ser substituídas por cereal, sobretudo farelo de aveia, que tem muitas fibras e também ajuda no colesterol. Entretanto, fique longe do mingau de aveia instantâneo – menos fibras, mais carboidrato ruim. Opte pelo tipo de aveia que realmente tem que ser cozido durante alguns minutos; quanto menos refinada, melhor. Utilize adoçante em vez de açúcar, e leite desnatado, se necessitar de leite. Talvez o mingau de aveia não seja a melhor troca para as saborosas batatas fritas, mas pode ser um substituto aceitável. Devemos fazer alguns sacrifícios.

Se você gosta demais do sabor da laranja e não quer desistir dela, coma a fruta inteira. Dessa forma, obterá sumo, polpa, fibras, nutrientes, vitamina C – o pacote inteiro, como pretende a natureza. E aposto que não consumirá três ou quatro laranjas de uma só vez, como consome quando bebe um grande copo de suco.

Você pode comer uma fatia de torrada de grão integral com um pouco de margarina *light,* saudável para o coração – existem várias delas, que podem ser encontradas na maior parte das seções de laticínios dos supermercados. Elas não são as antigas margarinas que contêm os nocivos ácidos graxos trans, causadores de danos para o sistema cardiovascular.

O café também está liberado, com leite desnatado e adoçante.

Banana *split*

Pode ser delicioso, mas é um assassino. É verdade que a banana é uma fruta, mas, como a maior parte das frutas tropicais, tem um índice glicêmico razoavelmente alto, tão alto quanto o do abacaxi e o da manga. Portanto, em primeiro lugar, terá que ser substituída por morango, *blueberry* ou framboesa, pois todas as três também combinam muito bem com sorvete. Junto com a fruta, acrescente algumas nozes – não as cobertas com açúcar, mas nozes, amêndoas, castanhas-do-pará ou amendoins crus. Fazem bem, produzem uma sensação de saciedade e são gorduras boas. Quanto ao sorvete em si, não há muito o que fazer. Na verdade, está repleto de açúcar, que não é amigo da dieta. Mas também está repleto de gordura, o que significa que depois de consumi-lo a fome estará saciada. E você não terá a ilusão de que comeu algo inofensivo, o que diminuirá a chance de achar que merece mais na noite do dia seguinte. Por outro lado, consumir sorvete *light* ou *frozen yogurt* não traz nenhuma vantagem, pois a gordura foi substituída por açúcar, o que é pior para a dieta. Além disso, por não conter gordura, o sorvete *light* não sacia a fome e pode lhe dar a impressão de que você comeu algo menos prejudicial. Se vai violar as regras, deve pelo menos saber que violou.

Cheeseburguer

Vamos falar de uma grande tentação: cheeseburguer, batata frita e Coca-Cola. Não se pode negar que é delicioso e, graças ao império do *fast-food*, é a refeição mais fácil de se obter na história da alimentação. Mas é também altamente problemática, embora não pelos motivos que fomos levados a crer.

A própria carne do hambúrguer das lanchonetes traz algum risco para a saúde, devido ao alto teor de gordura saturada e à gordura na qual é frita. Na verdade, seu consumo diário é um péssimo hábito, mas pode ser adaptado à dieta de South Beach como uma opção ocasional. Entretanto, se você comer um hambúrguer num restaurante fino ou, melhor ainda, em casa, o quadro muda. Podemos ter hambúrgueres feitos de um bom corte de carne, como lombo, muito mais magro do que a carne moída comum.

Mas o que vai acompanhar essa carne de hambúrguer? O habitual pão branco macio é puro açúcar. Se você retirar a parte de cima do pão e comer com garfo e faca melhora um pouco. Melhor ainda é comer o hambúrguer com um pão sírio integral ou pão do tipo *pumpernickel,* no lugar do pão habitual. O *pumpernickel* tem uma qualidade que diminui seu índice glicêmico – a acidez. A acidez retarda o esvaziamento do estômago até o intestino delgado, o que significa uma digestão mais lenta e um aumento e diminuição subseqüente mais lentos do açúcar no sangue.

O melhor de tudo – veja se consegue viver sem comer qualquer pão no hambúrguer.

Depois, o *ketchup* deve sair, pois, mesmo se você o consome pouco, está repleto de açúcar. Fatias de tomate são ótimas. Alface, picles e cebolas são perfeitos. Mostarda é ótima e até maionese, desde que você não exagere. Lembre-se de usar a do tipo comum, não a *light.* A maionese comum é rica em gordura, mas predominantemente óleo de soja, que é uma gordura boa. Os molhos com salsa, picante e de carne também são bons.

As batatas fritas arruínam as dietas, graças ao seu amido e às gorduras ruins onde são fritas. Para melhorar o sabor, alguns restaurantes as fritam na gordura da carne, o que simplesmente aumenta o perigo. São preferíveis as batatas fritas de saquinho. Batatas-doces fritas são ainda melhor, se fritadas em óleo monoinsaturado. Mas o melhor de tudo é descobrir outra hortaliça, e prepará-la em forma de salada. Se sentir necessidade de comer batata de vez em quando, não exagere no tamanho delas.

O outro membro letal desse trio – o refrigerante – obviamente deve ser no mínimo substituído por uma bebida *diet,* caso você não consiga beber sempre água.

Se você adotou como típica refeição o cheeseburguer com batata frita e refrigerante, faça-a removendo a metade de cima do pão, substituindo a batata frita por uma salada e um refrigerante *diet.* A quantidade de carboidratos diminui radicalmente.

Pizza e cerveja

Aposto que você está pensando que o azeite e o queijo da *pizza* não são as piores coisas que ela oferece. Sobretudo se for um bom azeite de oliva e uma mussarela *light*. A massa da *pizza* é feita de farinha branca, o que *é* um problema. E a cerveja, obviamente, jamais será uma bebida *diet*. A maltose, que é o açúcar da cerveja, tem um índice glicêmico mais alto do que o pão branco. A reação da insulina à maltose causa o armazenamento de gordura no abdome, dando origem ao que chamamos, muito adequadamente, de barriga de cerveja. Porém, a *pizza* não é totalmente desprovida de benefícios. Os tomates cozidos do molho são uma excelente fonte de licopeno, que combate o câncer. Se você eliminar completamente *pizzas* e massas, perderá duas das formas mais saborosas de servir essa hortaliça. Se conseguir mudar para a massa fina, faz alguma diferença. E se, além do azeite de oliva, do molho de tomate e do queijo *light* você adicionar pimentões verdes, cebolas, cogumelos e azeitonas, acrescentou grande quantidade de carboidratos bons e nutritivos, que tornam o prato mais consistente. No lugar da cerveja, experimente uma taça de vinho tinto. É uma refeição totalmente nova: um alimento nem tão saudável, mas melhor do que a *pizza* grossa que entregam em casa.

MINHA DIETA DE SOUTH BEACH

KANDY K.: "NUNCA SENTI FOME. LI ALGO NO JORNAL SOBRE A DIETA DE SOUTH BEACH, BEM NO MOMENTO EM QUE DECIDI QUE PRECISAVA PERDER UNS SETE QUILOS. E parecia uma dieta confiável – não uma dessas dietas loucas da moda de que ouvimos falar. O fato de ter sido idealizada por um cardiologista também ajudou. Resolvi então fazê-la.

Os carboidratos sempre foram minha fraqueza. Adoro pão doce. Sempre que meu filho quer um pão doce, peço logo dois, um para ele, outro para mim.

De certa forma, as duas primeiras semanas, consideradas a fase rígida, foram difíceis, porque ficamos bastante limitados. Cheguei a pensar que não ia ser tão fácil quanto parecia. Ir a restaurantes e não comer pão foi difícil. Por outro lado, também era uma dieta fácil, pois você sempre podia substituir. Se não gosta disso, pode comer aquilo. Se não gosta de comer queijo no lanche, pode comer nozes. Assim, ficou mais fácil seguir essa dieta. Você pode comer o que gosta. Certamente, essa era a parte boa.

E quando me acostumei com o que podia ou não comer e conheci as diretrizes, até a fase rígida tornou-se muito mais fácil. Nunca passei fome. Você fica saciado com os alimentos permitidos. Desta forma, se sente bem e se adapta.

Perdi cerca de 4,5 quilos com a dieta, mas agora comecei a trabalhar com um *personal trainer* e recuperei cerca de dois quilos em músculos. Porém, estou muito mais firme do que antes – músculo pesa mais do que gordura. Há dias em que ainda quero parar na loja de pães. Mas agora digo: 'Ah, não, não vou fazer isso de novo.'"

NÃO É APENAS O QUE VOCÊ COME, É COMO COME

Como vimos, a equação que geralmente leva à obesidade é simples: quanto mais rapidamente os amidos e açúcares consumidos são processados e absorvidos pela corrente sangüínea, mais você engorda.

Contudo, qualquer coisa que acelere o processo no qual o organismo digere os carboidratos é ruim para a dieta, e qualquer coisa que o retarde é boa. A digestão é simplesmente a ação do estômago decompondo o alimento em seus componentes; qualquer coisa que mantenha o alimento intacto por mais tempo é benéfica para quem está tentando emagrecer.

Sabendo disso, é importante reconhecer que o processo da digestão começa antes mesmo de você engolir o alimento. Na verdade, inicia-se no momento da preparação. Exemplo: o brócolis cru é crocante, duro, frio e coberto por uma camada de fibras nutritivas. Se você comê-lo desta forma, seu estômago terá que trabalhar para obter os carboidratos. Isso é bom. A não ser quando há legumes tipo coquetel para mergulhar no molho, quase nunca comemos brócolis cru. Primeiro o lavamos, jogamos fora a parte mais dura do talo, depois o cortamos e fervemos ou cozinhamos no vapor até ficar macio e morno.

É praticamente isso o que o estômago faz com o alimento. Através da combinação de músculos que mexem vigorosamente e dos potentes sucos gástricos e ácidos que produz, o estômago deixa o alimento em frangalhos e o liquidifica parcialmente. Seja em uma panela no fogão ou dentro do estômago, o mesmo processo essencial ocorre com o brócolis e com qualquer outro alimento que ingerimos.

No caso dos alimentos processados, a digestão começa ainda mais cedo – na verdade, bem antes de o alimento chegar às prateleiras do supermercado. Imagine aquele pão de fôrma branco fatiado. Primeiro, retira-se do trigo o farelo e as fibras. Depois, o trigo é processado e transformado em farinha branca, ainda mais refinada. O processo de cozimento no forno infla a massa até se obter fatias de pão leves e macias. É natural que neste caso a ação do estômago seja rápida. Uma fatia de pão branco chega na corrente sangüínea com o mesmo impacto de uma colher de açúcar branco!

Por outro lado, o pão à moda antiga – o do tipo não-refinado e massudo, com uma casca grossa e pedaços visíveis de grãos, o que só conseguimos comprar em padarias especializadas ou na loja de produtos naturais – põe o estômago para trabalhar. Ele também é feito de trigo, mas os grãos não foram incansavelmente processados. Podemos até ver pedaços de farelo no pão. Ele contém amidos, que são simplesmente cadeias de açúcar, mas estão ligados às fibras, e assim a digestão demora mais. Resultado: os açúcares são liberados gradativamente na corrente sangüínea. Quando não ocorre um aumento repentino do açúcar no sangue, o pâncreas não produz tanta insulina, e você não tem uma vontade louca de comer mais carboidratos.

Isso é crucial para se entender o funcionamento do organismo: quanto mais o alimento for pré-processado, mais ele engorda.

Obviamente, a boa notícia é que você pode controlar parcialmente o índice glicêmico do alimento escolhendo como irá prepará-lo.

Veja a batata, por exemplo. É uma hortaliça incrivelmente versátil. É possível fazer centenas de coisas com ela, de sopa a vodca. E aquilo que fazemos com ela determina o quanto nos engordará.

Qual é a pior forma, do ponto de vista do índice glicêmico? É a batata assada. O processo de cozimento no forno torna os amidos mais acessíveis ao sistema digestivo.

Quer torná-la um pouquinho melhor? Acredite se quiser, mas a batata assada engorda menos se for coberta por uma pequena quantidade de queijo, coalhada ou *sour cream*. O número de calorias aumenta, é claro, mas a gordura contida no queijo ou no *sour cream* retarda o processo digestivo, diminuindo, assim, a quantidade de insulina que a batata estimula o organismo a produzir.

Mesmo assim, não fique achando que quando estiver no *shopping* e parar para comer uma batata assada estará fazendo um lanche saudável. Ao comer batata assada no meio da tarde, você certamente terá vontade de comer carboidratos no jantar. Seria melhor consumir um pequeno sorvete ou até uma barra de chocolate meio-amargo no lugar da batata assada.

Melhor do que assada? Em forma de purê ou cozida, tanto por causa da diferença no processo de cozimento quanto porque você provavelmente irá consumi-la com um pouco de manteiga ou *sour cream*, e a gordura retardará o processo digestivo. Acredite se quiser: até batata frita é melhor do que batata assada, devido à gordura onde é feita. Obviamente, o mesmo vale para as batatas fritas de saquinho, mas não se deixe enganar: nenhuma delas é uma opção adequada para quem segue a dieta de South Beach. O tipo de batata que você come também é importante nesse aspecto. Batatas com casca vermelha são as mais ricas em carboidratos. As de casca branca são melhores. Batatas novas são melhores ainda – quanto mais novas forem as hortaliças ou frutas ao serem colhidas, menor o número de carboidratos. Se você quer sair da linha, faça-o de forma moderada. E procure substituir a batata inglesa por batata-doce.

O fator fibra

Mas será que o pão branco é tão prejudicial assim? É pior do que sorvete. Se for sentar-se à mesa do jantar e precisar decidir se vai comer pão branco como acompanhamento ou sorvete de sobremesa, escolha o sorvete – engorda menos.

Mas é óbvio que nem todo pão é pão branco. Uma regra geral é: quanto menos refinado o pão, melhor.

Esses princípios se aplicam a todos os alimentos: integral e intacto é melhor do que cortado ou fatiado, que é melhor do que picado, que é melhor do que amassado ou em forma de purê – e tudo isso é melhor do que na forma de suco. Por exemplo, a maçã tem na casca uma quantidade razoável de pectina, uma fibra solúvel. Portanto, se você come uma maçã, o estômago tem que digerir as fibras antes de chegar à frutose. Da mesma forma, a laranja tem suas fibras na polpa e nas partes brancas mais duras que se ligam a ela.

Porém, se você descascar a maçã e fizer um suco, terá algo bem diferente. Os micronutrientes e as fibras estão na casca. Com a casca intacta, talvez você precise de cinco minutos para comer essa maçã. Mas são necessários apenas alguns segundos para que você beba o equivalente em suco. E saiba que o índice glicêmico é determinado, em parte, pela velocidade com a qual ingerimos e digerimos o alimento ou a bebida. Este é o motivo pelo qual os diabéticos que têm reação hipoglicêmica bebem rapidamente um pouco de suco de laranja, em vez de comer a fruta. E, embora a frutose seja preferível à sacarose, um grande copo de suco age como um refrigerante – açúcar puro. Isso é válido sobretudo para o suco industrializado feito sem fibras ou polpa, que, para muitas pessoas, é o único tipo consumido.

As fibras retardam o esforço do estômago para alcançar os açúcares e amidos dos carboidratos. A fibra de hortaliças como o brócolis é a celulose, que consiste essencialmente em *madeira*. Os nutrientes também estão ligados a essa fibra, o que faz com que o estômago tenha que se esforçar mais para chegar ao alimento.

Retentores de açúcar

As fibras não são as únicas a se colocarem no caminho dos açúcares.

Gorduras e proteínas também retardam a velocidade com a qual o estômago age sobre os carboidratos. Consumir um pouco de proteína, ou gordura – gordura boa, naturalmente –, junto com carboidratos é benéfico. Um pouco de azeite de oliva no pão ou um pouco de queijo *light*, na verdade, é melhor para você do que pão puro. Um prato de massa com molho de tomate e um pedaço de pão italiano é uma refeição extremamente rica em carboidrato. Uma refeição como essa, consumida com um pouco de carne ou queijo, é melhor. Comer uma boa batata assada no almoço não é boa idéia. Uma batata com um pedaço de carne e brócolis é melhor do que a batata sozinha. Você, na verdade, produz menos insulina e terá menos vontade de comer mais nas horas seguintes.

A seguir, uma dica que diminuirá o índice glicêmico de qualquer refeição: quinze minutos antes de começar a comer, consuma uma colher de Metamucil com um copo d'água. É verdade que isso serve como um suave laxante. Mas é apenas *psyllium,* uma fibra não-solúvel. Depois de tomar o Metamucil, as fibras formam um bolo escorregadio que abre caminho através do trato digestivo, limpando tudo que encontra em sua trajetória. E, quando ingerimos as fibras um pouco antes de comer, elas se misturam ao alimento e retardam a velocidade com que o estômago digere o que comemos.

Quando falamos sobre alimentação, tratamos tão exclusivamente das coisas que ingerimos que é fácil esquecer o que bebemos. Mas o organismo não faz essa distinção – no momento em que a refeição chega ao intestino delgado, *tudo* já virou líquido.

Na verdade, o que você bebe é crucial, pois requer pouca digestão e, portanto, penetra diretamente na corrente sangüínea. Se houver açúcar nessa bebida, ele chega muito rápido ao organismo, causando a explosão de insulina, o que acaba gerando mais vontade de comer.

De um lado da gama de bebidas – como já era de se esperar – está a água. Hoje, todos conhecemos a doutrina da saúde segundo a qual precisamos beber pelo menos dois ou três litros de água por dia. Não se sabe ao certo se realmente é necessária *tanta* quantidade assim, mas uma boa regra é beber água sempre que tivermos sede. É especialmente bom para quem faz dieta, pois gera a sensação de estômago cheio.

No outro extremo está a cerveja. Como já dissemos, a cerveja tem um índice glicêmico alto graças ao seu principal componente, a maltose, que é ainda pior do que o açúcar branco.

O vinho e até o uísque são melhores opções, por serem produzidos por diferentes grãos, hortaliças ou frutas. É claro que o uísque não faz parte de qualquer esforço sério para emagrecer. Vinho branco é melhor. O melhor de todos é o vinho tinto, pois proporciona alguns benefícios cardíacos comprovados, graças ao resveratrol presente na casca da uva.

Não é novidade que os refrigerantes sejam uma grande fonte de açúcar, portanto não gaste muito tempo com eles. O chá gelado com sabor e com adoçante é melhor.

O café, em si, não contém açúcar. As pessoas se acostumaram a ouvir os médicos aconselharem a cortar o excesso, mas eu não acredito que o café, tomado com moderação, seja assim tão ruim. Algumas dietas aconselham o café descafeinado, simplesmente porque a cafeína estimula o pâncreas a produzir insulina, que é a última coisa de que uma pessoa com excesso de peso precisa. Mesmo assim, o efeito não é tão grande assim, e, se você fica feliz com uma ou duas xícaras de café por dia, acho que deve ficar à vontade. O chá é preferível, por ter um papel na prevenção do infarto e do câncer de próstata.

Mais uma vez, os sucos de fruta são uma grande fonte de problemas, em parte porque fomos condicionados a associá-los aos hábitos saudáveis. Eles contêm nutrientes, sobretudo os sucos feitos na hora. Mas também trazem consigo altos níveis de frutose, que podem anular qualquer esforço para emagrecer.

Moro na Flórida e, por isso, o melhor exemplo de fruta que me vem à cabeça é a laranja. Um paciente meu começou a apresentar sintomas de diabetes. Seu nível de açúcar no sangue chegou repentinamente a mais de 400, o que não foi bom sinal. Meu paciente não apresentou os sinais que costumam estar presentes no início do diabetes, como infecção ou outra agressão ao sistema. Comecei perguntando-lhe se efetuara alguma mudança em seus hábitos alimentares, e ele mencionou que tinham instalado uma máquina de sucos em seu escritório. Achou que estava fazendo uma escolha saudável ao tomar vários sucos de laranja por dia para substituir o café, que antes tomava em grandes quantidades.

"Corte o suco", aconselhei. "Você está despejando muito açúcar na corrente sangüínea." Ele trocou o suco por água, e, assim, seus níveis de açúcar no sangue voltaram ao normal.

Vou lhe dizer a seguir – mesmo correndo o risco de me repetir – tudo o que você precisa saber sobre suco de fruta. Se você fosse comer uma laranja, ingeriria a mesma frutose contida no suco. Mas também estaria obtendo muitas fibras da polpa e das peles. Seu estômago teria que trabalhar para separar o açúcar de todo o resto durante a digestão. Além disso, você come uma laranja de uma só vez, talvez duas, se estiver com fome ou se forem pequenas. Mas descascar uma laranja dá trabalho, e comer a laranja leva tempo.

Como você pode imaginar, os sucos prontos em embalagens são os mais prejudiciais.

Os melhores são os espremidos na hora, devido à polpa fibrosa e aos nutrientes.

Isso vale para quase todos os sucos de frutas. Suco de abacaxi? Açúcar demais. Uva? O mesmo. Parece que, de repente, os pais americanos se apaixonaram pelo suco de laranja e começaram a dá-lo aos filhos em todas as refeições. Do ponto de vista do consumo de açúcar, foi uma péssima idéia. A casca da maçã é bastante saudável – a pectina é uma boa fibra que acompanha a frutose no organismo. Portanto, comer uma maçã por dia – de preferência com casca – continua sendo uma excelente recomendação. Mas beber seu suco não é.

Se for beber suco de fruta, misture apenas um pouco com água gasosa, e vai obter uma bebida espumante.

Existem outras opções quando falamos dos sucos de hortaliças. Talvez você se surpreenda se eu lhe disser que suco de cenoura fresco não está na lista aprovada. Como já observamos, a cenoura tem índice glicêmico alto. Suco de beterraba é bom por muitos motivos, mas também está carregado de açúcar. Ouvi dizer que colocar uma banana no liquidificador junto com um pouco de leite e uns morangos, acompanhados de gelo, dá uma boa vitamina de verão. Mas as bananas estão entre as piores frutas em termos de conteúdo de frutose. Se você nada soubesse sobre nutrição e lhe pedissem para adivinhar quais são as frutas e hortaliças que contêm mais açúcar, provavelmente saberia responder muito bem. Quanto mais doce o sabor, mais açúcar a fruta contém. Melancia é ruim. Tomate é melhor. Suco de brócolis seria o melhor, se todos realmente quisessem tomar um copo todos os dias no café da manhã. Portanto, não se queixe, pois a dieta de South Beach não recomenda um copo grande de suco de brócolis todos os dias.

MINHA DIETA DE SOUTH BEACH

KATIE A.: "NUNCA SENTI QUE PRECISAVA ME PRIVAR DE ALGUMA COISA.

Tive problemas com o peso desde que tinha sete anos de idade, quando minha irmã e eu passamos um verão visitando minha avó na Pensilvânia. Ela não cozinhava em casa, e por isso só comíamos alimentos processados. Para nos manter ocupadas, minha avó, que era empresária, nos dava dinheiro com o qual comprávamos balas e doces. No final do verão, minha irmã e eu voltamos para casa enormes de gordas.

Desde então, venho lutando contra o peso. Diga o nome de qualquer dieta: já fiz. Cheguei a descobrir um médico que, para eu emagrecer, me deu injeções para estimular a glândula tireóide. Acabei desenvolvendo a doença de Graves. Estive também nos Vigilantes do Peso. E emagreci, mas sabe o que acontece? Você acaba ficando obcecado por comida, de tanto contar pontos. Quantos pães? Quantas frutas? Quantos disso ou daquilo? Você descobre que pensa em comida 24 horas por dia, sete dias por semana!

Meu problema eram carboidratos e doces. Trabalhava no turno da noite no hospital, de forma que só ia para a cama depois das quatro da madrugada. Começava a comer ainda no trabalho, pois os pacientes sempre me ofereciam biscoitos, balas, bolos, doces, e assim por diante. E eu pensava com meus botões: não vou comer isso tudo. Mas gostava de comer, um pouco de cada vez, mas quase o tempo todo. Além disso, consumia muita cafeína. Estava tomando seis latas de refrigerante *diet* todos os dias. E esses refrigerantes tinham cafeína; mais tarde, fiquei sabendo que era a cafeína que estimulava meu apetite. Comia por inércia e compulsão, ou para compensar o cansaço. Depois, chegava em casa me culpando por ter comido toda aquela porcaria no trabalho e achava que tinha que comer alguma coisa saudável. Portanto, jantava e depois ia para a cama.

Não ganhei tudo de uma só vez, fui engordando aos poucos e, de certa forma, me acostumando com minha gordura. Até que um dia minha mãe, que estava andando atrás de mim no *shopping,* me alcançou e disse: "Sabe de uma coisa? Você está *andando igual a uma pata."*

A partir daí, resolvi mudar. Foi há dois anos que comecei a seguir essa dieta. Desde então, perdi mais de 13 quilos e não voltei a engordar. A melhor coisa em relação a essa dieta é que é fácil de fazer. É até flexível, da seguinte forma: eu saía dela freqüentemente. Talvez não durante as duas primeiras semanas, na fase rígida, mas depois. Em vez de comer as 15 nozes permitidas no intervalo das refeições, algumas vezes eu comia muito mais, sem contar.

Mas, apesar disso, fui seguindo a dieta, ao contrário do que aconteceu com todas as outras que experimentei. Há dois anos não como um pedaço de pão. E também nem um grão de arroz. É uma questão de autocontrole. Mas não tenho a sensação de estar me privando do que gosto. Há muitas opções nessa dieta. E os resultados positivos me fazem prosseguir. Sinto uma enorme alegria em poder entrar em uma loja e não procurar mais pelo tamanho 48. Hoje visto 42 ou 44, e me sinto muito feliz com isso.

Aprendi muito a respeito de minha alimentação. Por exemplo: muitas pessoas não percebem que o glutamato monossódico da comida chinesa é feito de beterraba, que contém *muito* açúcar. Ou também que a cenoura tem um índice glicêmico alto. Eu costumava comer muita cenoura quando estava tentando emagrecer. Fiquei chocada ao saber que a cenoura contém muito açúcar. Você não percebe que as cenouras ou as cebolas se transformam em açúcar, que fica armazenado no organismo sob a forma de gordura.

Ultimamente, recuperei alguns quilos porque exagerei nas nozes. Mas não me peso mais, porque não quero ficar obcecada pela balança. Vou vendo como me sinto nas roupas. Quando sinto que estou exagerando com as nozes, recuo e perco alguns quilos. Recentemente, descobri uma padaria que faz uma torta sem açúcar. Compro a torta e a corto em pedaços bem pequenos. Então, quando sinto um desejo de comer doce – não todas as noites, talvez duas ou três vezes por semana –, pego um pedaço e descongelo. É uma coisa que posso comer. Na verdade, nunca senti como se tivesse que me privar de alguma coisa, sobretudo porque o ganho compensa qualquer sacrifício." ■

QUANDO VOCÊ COME E FICA COM FOME

Quando você come e fica com o *quê?*

Você sempre teve a impressão de que depois de comer a fome passa?

Bem, sim e não. Quando você se alimenta, acaba imediatamente com a fome. Mas alguns alimentos também geram a vontade de comer outros alimentos, deixando-o mais faminto do que você ficaria se não os tivesse consumido.

Isso não é apenas uma teoria ou uma questão de percepção.

O Dr. David S. Ludwig é diretor do programa de obesidade do Children's Hospital, em Boston, além de ser professor da Harvard Medical School. Recentemente, o Dr. Ludwig estudou como o café da manhã ingerido por alguns adolescentes obesos influenciava sua fome algumas horas depois.

Três grupos de adolescentes com excesso de peso ingeriam o mesmo número de calorias no café da manhã. A refeição de um grupo tinha 20% de gordura, 16% de proteína e aproximadamente dois terços de carboidratos do tipo bom – mingau de aveia feito com aveia moída em rolos de aço, o que significa que os flocos eram grandes e que o grão da aveia não era processado, deixando a fibra intacta. O segundo grupo também fazia um café da manhã com dois terços de carboidratos, mas tomava mingau de aveia *instantâneo*, no qual as fibras haviam sido extraídas para permitir o cozimento mais rápido.

A refeição do terceiro grupo era idêntica ao café da manhã da dieta de South Beach – omeletes de hortaliças.

Após o café, os membros de todos os três grupos eram instruídos a comer tudo o que quisessem durante as cinco horas seguintes.

O grupo que tomara o café da manhã com carboidratos ruins – mingau de aveia instantâneo – sentia mais fome do que os outros, e comia mais durante o período de cinco horas.

Os adolescentes do grupo que ingerira a farinha de aveia produzida nos moinhos com rolo de aço sentiam menos fome e comiam menos nas horas seguintes ao café da manhã do que o grupo que ingerira o mingau de aveia instantâneo.

O grupo que consumia as omeletes de hortaliças – a refeição com baixo teor de carboidratos – era o que sentia menos fome e comia a menor quantidade de alimentos nas cinco horas que se seguiam ao café da manhã.

Esse é um dos vários estudos recentes que testaram a teoria de que a ingestão de carboidratos ruins nos deixa com mais fome, e de que a dieta à base de carboidratos bons e gorduras boas (a omelete de hortaliça combina os dois) diminui a fome. Explicarei exatamente por que isso ocorre, mas agora quero enfatizar o que todos os estudos revelam: a ingestão de carboidratos ruins – sobretudo os carboidratos altamente processados – gera vontade de comer mais carboidratos ruins, que acabam gerando a epidemia de obesidade. Nunca é demais enfatizar a ligação entre carboidratos ruins, obesidade e doença cardíaca.

Em outro estudo sobre dieta e fome, as pessoas que comiam frutas inteiras sentiam menos fome do que as que comiam as mesmas frutas amassadas, e estas tinham menos vontade de comer do que as que só bebiam o suco. Em vários outros projetos de pesquisa, cientistas descobriram que comer ervilhas dá menos fome do que comer batatas; cenouras cruas geram menos fome do que cenouras cozidas; alimentos que contêm grãos integrais geram menos fome do que os que contêm grãos quebrados; o arroz comum gera menos fome do que o do tipo instantâneo.

Existe um termo para a reação fisiológica básica ao alimento por trás de todas essas descobertas: hipoglicemia reativa.

Mas, antes de descrever exatamente o que isso significa, vou lhe contar o que acontecia comigo.

Durante anos, todos os dias, entre três e quatro da tarde, sentia-me sem energia – fraco, com sono, às vezes até tonto. Sem pensar, corria para a sala dos médicos, onde ingeria um *muffin* de farelo, acompanhado de uma xícara de café. Acreditava que o bolinho fosse saudável, pois tinha a palavra *light* no rótulo. Na verdade, a palavra *farelo* estava lá principalmente para evitar que as pessoas examinassem os ingredientes atentamente e percebessem que era apenas um *muffin* normal disfarçado. Tranqüilizava-me com a falsa sensação de segurança – o *muffin* poderia ter pouca gordura, mas tinha carboidratos que contribuíam bastante para a circunferência da minha cintura.

Depois de lanchar, eu melhorava imediatamente. Meu organismo sabia exatamente do que precisava: carboidratos. *Açúcar.* Ele sabia disso, pois detectava que o nível de glicose – a forma como o açúcar entra na corrente sangüínea – havia baixado muito. A glicose é uma forma de energia química constantemente necessária ao funcionamento adequado do cérebro. Sem glicose suficiente, ficamos tontos, fracos, e acabamos entrando em coma e morrendo. O diabetes ocorre quando o organismo é incapaz de transformar o alimento em formas utilizáveis de energia; por isso, sem insulina sintética, o diabético do tipo 1 não viveria por muito tempo.

Portanto, o cérebro detecta a hipoglicemia – um nível muito baixo de açúcar no sangue – e o organismo reage (daí o nome hipoglicemia reativa), gerando a vontade que me levou, e talvez também você, a ingerir o carboidrato mais próximo.

Como agem os carboidratos

Como disse antes, os carboidratos estão presentes em uma grande variedade de alimentos, da hortaliça mais poderosa à mais decadente guloseima. Todos os carboidratos contêm açúcar. Contudo, esses açúcares existem de várias formas diferentes e têm diversos nomes, inclusive maltose (na cerveja), sacarose (açúcar de mesa), lactose (nos laticínios) e frutose (encontrado nas frutas).

Apesar dessa semelhança, quem sempre tem vontade de comer pão doce nunca se satisfaz com brócolis. O oposto também pode acontecer, embora seja difícil encontrar pessoas que tenham vontades insaciáveis de comer hortaliças.

É fácil dizer, pelo sabor, quais carboidratos com mais alto teor de açúcar e quais fornecem mais facilmente seus açúcares. Provavelmente não nos surpreende o fato de uma barra de chocolate com leite fornecer açúcar mais facilmente do que uma barra de chocolate meio amargo, ou de o abacaxi liberar seu sabor doce mais rapidamente do que o *grapefruit*, ou de uma fatia de pão branco aumentar o nível de açúcar no sangue mais rapidamente do que uma bolacha de grãos integrais da loja de produtos naturais. Quanto mais açúcar, e quanto mais rápido ele é liberado, maior nossa percepção dessa "afluência" de açúcar – o alívio que sentimos na corrente sangüínea quando atendemos seu pedido de carboidratos. Contudo, o organismo trata todos os carboidratos basicamente da mesma forma – a digestão é, em grande parte, o processo pelo qual o organismo extrai os açúcares dos carboidratos e os transforma em combustível, o qual você queima ou armazena. Queimar o combustível é bom – o que significa que você é ativo o suficiente para fazer uso eficiente do alimento que ingere. Tudo bem se você armazenar um pouco de combustível, mas qualquer coisa a mais do que isso não é tão bom. O excesso de combustível armazenado tem outro termo: gordura corporal.

A tarefa da digestão de carboidratos começa na boca, quando se mastiga o alimento, deixando-o em pedacinhos, e a saliva começa o processo químico de separar cada quantidade de alimento em seus componentes. No estômago, o alimento é mais dilacerado pelas contrações musculares e ácidos gástricos do órgão. O organismo quer obter os açúcares contidos nos carboidratos, mas isso acontece em velocidades variadas, dependendo de certos fatores. Essencialmente, quanto menos outras substâncias estorvarem esses açúcares, mais rapidamente eles entram na corrente sangüínea.

Concorrentes dos carboidratos

Que substâncias entram no caminho do organismo? As fibras são o principal fator que retarda a absorção de açúcar. Por isso, o mingau de aveia altamente processado é pior para a dieta do que a outra variedade, que tem todas as fibras ainda intactas, e, portanto, antes de obter os açúcares do mingau de aveia, o estômago tenha que separá-los das fibras. Uma vez isoladas, as fibras passam pelo organismo sem serem digeridas. A importância alimentar das fibras vem de sua capacidade de retardar a digestão. É um obstáculo à digestão – um bom obstáculo.

Isso foi comprovado há pouco tempo em um estudo científico no qual metade dos indivíduos ingeria uma fibra conhecida como *psyllium* (provavelmente você o conhece melhor como Metamucil) 15 minutos antes do almoço. A outra metade almoçava sem ingerir o *psyllium* primeiro. Nas horas seguintes à refeição, o grupo das fibras relatou ter menos fome do que os outros. À medida que o dia passava, eles também comiam menos. O motivo era simples: no estômago, o *psyllium* se misturava com o que comiam e bebiam e retardava a digestão. Digestão mais lenta de carboidratos, menos insulina. Menos insulina, menos queda radical do açúcar no sangue. Menor aumento e queda de açúcar agora, menos fome mais tarde.

As fibras não são o único elemento que retarda a digestão dos carboidratos. A gordura também retarda a velocidade com que o intestino delgado acessa os açúcares que ingerimos. Por isso, no estudo dos adolescentes com excesso de peso, o café da manhã com omelete gerava menos vontade de comer mais depois. Descobrimos outros fatores que retardam a digestão de carboidratos, beneficiando quem faz dieta. Alimentos ácidos, como limão e vinagre, retardam a velocidade com a qual o estômago esvazia, cortando, portanto, o aumento no açúcar do sangue. Você pode colocar ambos em saladas ou hortaliças e aproveitar o benefício. Até o *pumpernickel*, embora não tenha alto teor de fibras, é ácido e retarda o esvaziamento do estômago e, portanto, desacelera a digestão.

Essa é uma lição importante se você quer se alimentar adequadamente e emagrecer com a dieta de South Beach. Por isso, chamamos todo carboidrato que contém fibras de *bom* e também a razão pela qual consideramos determinadas gorduras boas: qualquer coisa que retarde a velocidade com a qual processamos os açúcares nos carboidratos é, por definição, boa.

A reação do organismo

Depois de ser liquidificado no estômago, o alimento viaja até o intestino delgado, onde milhões de vasos capilares o absorvem e o transportam até a corrente sangüínea. Uma vez lá, ele viaja pelo nosso fígado e depois em todos os lugares de nosso organismo para ser usado, armazenado ou eliminado.

Porém, vamos continuar a nos concentrar nos carboidratos. Como dissemos, todos contêm açúcar, de uma forma ou de outra. Até os amidos são simplesmente cadeias de açúcares; a digestão corta as ligações para tornar os açúcares moléculas disponíveis para nós. O que interessa aqui é a *velocidade* com a qual nosso organismo obtém os açúcares. Nem tudo ocorre no mesmo ritmo.

A tarefa do pâncreas é detectar quando os açúcares entram na corrente sangüínea e começar a funcionar, produzindo o hormônio insulina em quantidade suficiente para retirar os açúcares do sangue, levando-os aos órgãos onde são necessários, ou para serem armazenados para uso futuro. É aí que está o problema dos diabéticos: eles ingerem os mesmos açúcares que todos os outros, mas, sem insulina eficaz, esses açúcares permanecem inúteis, circulando na corrente sangüínea. A insulina destranca os tecidos e deixa o açúcar entrar.

Felizmente, o pâncreas pode indicar quanta insulina é necessária para fazer essa tarefa. Se o organismo recebe uma grande infusão de açúcares, é necessário uma grande quantidade de insulina. Se os açúcares são metabolizados de forma mais lenta, a insulina é liberada gradualmente.

Essa é uma diferença crucial com relação à obesidade: o açúcar rápido é pior para você; o mais lento é melhor.

O motivo é o seguinte: quando os açúcares são absorvidos lentamente, o aumento do açúcar no sangue é gradual, assim como sua queda, uma vez que a insulina começa a desempenhar seu papel. O declínio lento do açúcar no sangue significa menos vontade de comer mais carboidratos posteriormente. Lembre-se do que descrevi como hipoglicemia reativa – a sensação de fome causada por baixo açúcar no sangue. Quando a queda de açúcar no sangue é branda, as vontades diminuem.

Porém, ao detectar um rápido aumento de açúcar no sangue, o pâncreas bombeia um alto nível correspondente de insulina para fazer a tarefa. Isso resulta em uma rápida queda no nível de açúcar no sangue. A insulina acaba desempenhando sua tarefa um pouco bem demais – o nível de açúcar no sangue desce tanto que você fica com mais vontade de comer, exigindo ingestões mais rápidas de carboidrato. Obviamente, para satisfazer tantas vontades, você ingere muito mais do que precisa. Você come em excesso, e isso leva a mais gordura, mais resistência à insulina, mais fome e mais ganho de peso – um círculo vicioso.

Portanto, é mais fácil evitar o consumo excessivo através de duas estratégias:

1. Podemos ingerir alimentos (e combinações de alimentos) que causem aumentos graduais e não aumentos e quedas repentinas do açúcar no sangue.
2. Podemos aprender a prever a hipoglicemia e evitá-la fazendo lanches adequados. Essa é crucial: é necessário muito menos alimento para evitar a hipoglicemia do que para resolvê-la.

A terceira coisa que todos devemos fazer é saber quais alimentos causam o aumento mais rápido no açúcar no sangue. No início da década de 80, o Dr. David Jenkins comandou uma equipe de pesquisadores canadenses que idealizou uma escala para medir a rapidez e o grau em que uma quantidade fixa do alimento aumenta o açúcar no sangue. Chamaram-na de índice glicêmico. Ela relaciona a maior parte dos carboidratos, do açúcar de mesa, cerveja e pão branco em um extremo ao espinafre e lentilha no outro. Na página 86, você encontra uma amostra do índice, organizado por tipo de alimento. É provável que você não fique totalmente surpreso com o que encontrar ali. Qualquer alimento feito com farinha branca tem um índice alto na lista. Isso inclui sobremesas, pães e doces, obviamente, mas também massas. Arroz instantâneo também está perto do topo. Certas frutas tropicais ficam razoavelmente no alto, como algumas hortaliças ricas em amido, especialmente batata e outras hortaliças que são raízes. O rei de todos os açúcares, o que aumenta o açúcar no sangue mais rapidamente do que qualquer outro, é a maltose, que existe na cerveja. Agora você compreende o que está por trás da barriga de cerveja: o rápido aumento do açúcar no sangue causado pelo excesso de cerveja estimula um aumento correspondente na produção de insulina, que incentiva o armazenamento de gordura na região do abdômen.

O conhecimento e uso do índice glicêmico dos alimentos estão se difundindo, mas há uma importante advertência, crucial para se entender a ligação entre carboidratos e obesidade. Você deve saber que o grau de elevação do açúcar no sangue depende não apenas do índice glicêmico do alimento, mas também da quantidade ingerida. Por exemplo: as cenouras têm um índice glicêmico alto, mas são razoavelmente baixas em densidade de carboidrato. Portanto, você teria que comer várias porções de cenoura para se aproximar do aumento total no açúcar no sangue que obteria comendo uma única fatia de pão branco.

Faço uma analogia compreensível para explicar esse conceito aos meus pacientes.

Imagine o álcool. Quando você o ingere, o nível de álcool no sangue aumenta, e, quando passa de determinado limite, provoca a embriaguez. Sabemos que, quando bebemos com o estômago vazio, ficamos bêbados com mais rapidez. Se, por outro lado, bebemos enquanto comemos e estamos com o estômago cheio, é necessário mais álcool para sentirmos o efeito. Isso ocorre porque quando a bebida se mistura com a comida no estômago, a segunda atrasa a absorção de álcool até a corrente sangüínea. Uma vez na corrente sangüínea, o álcool é transportado até o cérebro, gerando a sensação de intoxicação. O princípio que funciona aqui é o seguinte: quanto mais lentamente o álcool é absorvido, menor o efeito sobre nós.

Agora, vamos ver o que acontece quando você ingere carboidratos – pão, por exemplo.

Ao comer pão branco, você não está ingerindo fibra alguma com o carboidrato. Isso é como beber com o estômago vazio: o estômago pode absorver os amidos sem ter que antes separá-los das fibras. Em conseqüência, o pão é rapidamente transformado em glicose – açúcar no sangue – e causa um aumento igualmente repentino na insulina, que gera os temidos aumento e queda intensos no nível de açúcar no sangue, causando posteriormente mais vontade de comer. Comer pão branco é análogo a beber álcool com o estômago vazio; comer pão integral é como beber com o estômago cheio.

As fibras são as partes do grão que não são absorvidas até a corrente sangüínea a partir do intestino, mas excretadas como resíduo. Embora não sejam absorvidas, as fibras ajudam na digestão de outra forma mais fácil de entender. Elas ajudam o cólon a funcionar de forma eficiente. A falta de fibras na alimentação foi um dos fatores que tornou a constipação um problema cada vez mais comum.

As fibras, então, juntam-se à gordura, proteína e acidez na lista dos elementos que atrasam a absorção de açúcares e amidos. É preciso incluir um ou mais desses elementos acima em cada refeição, junto com os carboidratos, para não ficarmos "bêbados". Ao escolher os alimentos e combinações de alimentos certos e lanches em horários estratégicos, você pode evitar a hipoglicemia e, dessa forma, controlar o peso sem ter que combater a vontade de comer.

Uma história final para ilustrar esse princípio: um amigo e paciente que estava na primeira semana da dieta saiu uma tarde para jogar golfe. Não tinha planejado o almoço, então decidiu quebrar as regras e comer um sanduíche. À medida que jogava golfe, várias horas depois, começou a se sentir fraco e trêmulo, e reconheceu que era hipoglicemia reativa. Como não havia lanches permitidos disponíveis, encontrou alguns envelopes de açúcar e os ingeriu. Além de saboroso, o açúcar aliviou sua intensa fome. Voltou para casa e comeu um saquinho de batatas fritas e uma barra de chocolate. Essa atitude desenfreada não foi conseqüência da perda de autocontrole, mas de seu planejamento inadequado. Depois que a hipoglicemia ocorreu, a conseqüência era praticamente inevitável. Se meu amigo tivesse comido uma salada de atum em vez de um sanduíche e lanchado um pouco de queijo *light* ou nozes, teria evitado tanto a hipoglicemia como a gula subseqüente.

MINHA DIETA DE SOUTH BEACH

PAUL L.: "LIMPEI MEU ARMÁRIO DE REMÉDIOS GRAÇAS A ESSA DIETA. HÁ CINCO ANOS, PESAVA 105 QUILOS.

Ao longo dos anos, sempre lutei contra o peso e experimentei diversas dietas. Experimentei a dieta do Dr. Atkins — na verdade, fui paciente dele há alguns anos, antes de ele ficar famoso. E, então, tentei fazer sua dieta de pouco carboidrato. Experimentei também algumas dietas com baixo teor de gordura, os programas da American Heart Association. Sempre acabava emagrecendo, mas invariavelmente recuperava.

Tenho 73 anos e, quando tinha 68, comecei a fazer a dieta de South Beach. Fui fumante inveterado e, quando parei, ganhei todo esse peso. Não era grande consumidor de doces. Mas adorava todo o resto. Pão três vezes por dia, em todas as refeições. E batata. Arroz. Massa. Obviamente, carne, e assim por diante — refeições grandes e pesadas. Quando atingi o auge do peso, comecei também a ter alguns outros problemas. Um dia, descobrimos que eu tinha diabetes. Minha pressão arterial estava alta. O nível de triglicerídeos também, assim como o colesterol.

Comecei a me consultar com o Dr. Agatston, que era meu cardiologista, e ele me mostrou que o meu excesso de peso contribuía para minhas doenças. Sugeriu-me a dieta que desenvolveu.

Os primeiros dias não foram exatamente fáceis. Não cheguei a me sentir mal, mas certamente diferente. Um pouco fora de sintonia. Você tem fome por não estar seguindo seus padrões alimentares normais. Porém, depois dos três primeiros dias, subitamente pareceu mais fácil. Não estava realmente ficando com fome. Comia uma tonelada de hortaliças durante a fase rígida e muita carne, peixe, além de queijo. Uma grande quantida-

de de carne branca de frango e peru. Mas sem pão, massas, nem fruta. Após as duas primeiras semanas, comecei a reintroduzir os alimentos na dieta. Consumia um pouco de fruta, mas, como essa pouca fruta me dava vontade de comer mais, achei melhor não comer fruta alguma.
Nunca voltei a comer batata — é incrível, mas não senti tanta falta dela. Gosto de massas e, por isso, de duas em duas semanas como um prato de massa. Consumo arroz ocasionalmente. Voltei a comer dois ou três pedaços de pão por dia. E bebo vinho tinto — duas taças por dia.
Foi necessário um ano, mas passei de 105 quilos para 77 quilos com essa dieta. Vinte e sete quilos em 50 semanas. E, nos últimos quatro anos, venho mantendo esse peso com bastante facilidade. Certa vez, ele subiu novamente até 80 quilos, então retomei a dieta na Fase 1, voltando logo aos 77 quilos.
Contudo, a melhor parte é que limpei meu armário de remédios graças a essa dieta. Parei de tomar medicamentos para diabetes, pressão arterial e para o colesterol." ■

O índice glicêmico

A tabela a seguir relaciona o índice glicêmico de grande parte dos alimentos que provavelmente você encontra no seu dia-a-dia. As opções estão agrupadas por tipo de alimento, depois dispostas em cada grupo, indo dos alimentos com o índice glicêmico mais baixo àqueles com índice glicêmico mais alto.

O índice glicêmico do alimento determina o quanto ele aumenta o açúcar no sangue com relação ao que a mesma porção de pão branco aumentaria.

Os alimentos com os números mais baixos fazem com que o açúcar no sangue aumente e depois baixe mais lentamente do que os alimentos com os números mais altos. Diversos estudos também revelaram que alimentos com índice glicêmico baixo satisfazem a fome por mais tempo e diminuem mais a vontade de comer.

Na Fase 1 da dieta de South Beach, você deve apenas escolher alimentos com um índice glicêmico baixo. Mais tarde, depois de ter passado pela fase de rápida perda de peso, poderá começar a misturar alimentos com números mais altos.

Entretanto, siga ainda as outras regras da dieta; embora o leite semidesnatado e o M&M de amendoim tenham o mesmo índice glicêmico, o leite é uma opção muito melhor em termos nutritivos.

Doces, pães e bolos	IG
Pão-de-ló	66
Bolo inglês	77
Muffin	88
Flan	93
Croissant	96
Doughnut	108
Waffle	109
Pão de farinha de aveia	68
Pão multigrãos	69
Pumpernickel	71
Pão sírio comum	82
Pizza de queijo	86
Pão de hambúrguer	87
Pão (de farinha) de centeio	92
Pão de semolina	92
Pão de grão de aveia	93
Pão (de trigo) integral	99
Pão branco	101
Pão de trigo sem glúten	129
Baguete francesa	136

Cereais Matinais	IG
Farelo de arroz	27
All Bran	60
Mingau de aveia, não-instantâneo	70
Farelo de aveia	78
Musli	80
Cheerios	106
Farelo de milho	107
Rice Krispies	117
Cornflakes	119

Grãos de cereais	IG
Cevadinha	36
Centeio	48
Grãos de trigo	59
Arroz, instantâneo	65
Trigo burgol	68
Arroz, parbolizado	68
Cevada pré-moída	72
Trigo, ligeiramente cozido	77
Trigo-sarraceno	78
Arroz integral	79
Arroz selvagem	81

Arroz branco	83
Cuscuz	93
Cevada trilhada	94
Taco crocante	97
Fubá	98
Milho painço	101
Tapioca, fervida no leite	115

Biscoitos doces	IG
Biscoitos de farinha de aveia	79
Biscoito amanteigado inglês	91
Araruta	95
Biscoitos de Graham	106
Wafer de baunilha	110
Biscotti (biscoito italiano)	113

Laticínios	IG
Iogurte semidesnatado, adoçado artificialmente	20
Achocolatado, adoçado artificialmente	34
Leite integral	39
Leite desnatado	46
Iogurte semidesnatado, com sabor de fruta	47
Sorvete *light*	71
Sorvete	87

Frutas e produtos de frutas	IG
Cerejas	32
Suco de maçã	34
Grapefruit	36
Pêssego	40
Damasco seco	43
Damasco fresco	43
Pêssego enlatado	43
Laranja	47
Pêra	47
Ameixa	55
Maçã	56
Uva	62
Pêra em calda	63
Uva-passa	64
Suco de abacaxi	66
Suco de *grapefruit*	69
Coquetel de frutas	79
Kiwi	83
Manga	86
Banana	89
Damasco em calda	91
Abacaxi	94
Melancia	103

Verduras	IG
Soja, fervida	23
Lentilha vermelha, fervida	36
Feijão-mulatinho, fervido	42
Lentilha verde, fervida	42
Feijão-manteiga, fervido	44
Ervilha amarela seca, fervida	45
Fava congelada	46
Grão-de-bico	47
Feijão-branco, fervido	54
Feijão-carioquinha	55
Feijão-fradinho	59
Grão-de-bico enlatado	60

Feijão-carioquinha enlatado	64
Feijão cozido enlatado	69
Feijão-mulatinho enlatado	74
Lentilhas enlatadas	74
Fava	113

Massas	IG
Espaguete enriquecido com proteína	38
Fetuccine	46
Vermicelli	50
Espaguete de trigo integral	53
Ravióli de carne	56
Espaguete branco	59
Capellini	64
Macarrão	64
Linguine	65
Tortellini de queijo	71
Espaguete grão duro	78
Macarrão com queijo	92
Nhoque	95

Tubérculos	IG
Batata-doce	63
Cenoura, cozida	70
Inhame	73
Batata-inglesa, fervida	83
Batata, no vapor	93
Batata, amassada	100
Batata nova	101
Batata fervida e amassada	104
Batata frita	107
Batata, instantânea	114
Batata no microondas	117
Batata, assada	158

Guloseimas e doces	IG
Amendoins	21
Mars (amendoim da M&M)	46
Chocolate Snickers	57
Chocolate Twix (caramelo)	62
Tablete de chocolate, 42 g	70
Geléias	70
Batata frita de saquinho	77
Pipoca	79
Chocolate Mars	91
Bala Skittles	98
Life Savers	100
Corn chips	105
Jujuba	114
Pretzel	116
Tâmara	146

Sopas	IG
Sopa de tomate enlatada	54
Sopa de lentilha enlatada	63
Sopa de ervilha seca	86
Sopa de feijão preto	92
Sopa de ervilha verde enlatada	94

Açúcares	IG
Frutose	32
Lactose	65
Mel	83
Xarope de milho com alto teor de frutose	89

Sacarose	92
Glicose	137
Maltodextrina	150
Maltose	150

Hortaliças	IG
Alcachofra	<20
Rúcula	<20
Aspargo	<20
Brócolis	<20
Couve-de-bruxelas	<20
Repolho, todas as variedades	<20
Couve-flor	<20
Aipo	<20
Pepino	<20
Escarola	<20
Berinjela	<20
Beterraba	<20
Couve	<20
Mostarda	<20
Espinafre	<20
Nabo	<20
Alface, todas as variedades	<20
Cogumelos, todas as variedades	<20
Quiabo	<20
Amendoim	<20
Pimenta, todas as variedades	<20
Vagem	<20
Agrião	<20
Feijão-manteiga	<20
Abobrinha	<20
Tomate	23
Ervilha seca	32
Ervilha	68
Milho verde	78
Abóbora	107

SERÁ QUE É DIABETES?

Vejo um número enorme de pessoas que apresentam a doença responsável pela epidemia atual de obesidade e problemas cardíacos. Você provavelmente também as vê.

Vejo-as no meu consultório, claro, mas também nas ruas, festas, no *shopping*, na praia e praticamente em todos os lugares por onde ando. É muito fácil reconhecê-las, graças a um sinal muito visível e inconfundível: excesso de peso concentrado principalmente na região do abdome, muitas vezes em indivíduos com rostos, pernas e braços finos. Esse tipo de obesidade costuma ser chamado de obesidade em forma de maçã – em oposição à obesidade em forma de pêra, em que o excesso de peso é distribuído pelos quadris, nádegas e pernas.

As pessoas normalmente se referem a esse tipo de obesidade com eufemismos: pança, barriga de cerveja, barrigudo. Mas, para mim, é um sinal sério de que o sangue daquela pessoa está doente hoje e provocará problemas cardíacos amanhã. Muitas vezes tenho que me conter para não implorar às pessoas que acabei de conhecer para me ligarem, ou procurarem qualquer outro cardiologista no dia seguinte, para marcar um exame de sangue. Como a doença é muito comum e perigosa, transformei-me em uma espécie de missionário do assunto. No entanto, o tratamento é simples: basta seguir a dieta certa, praticar exercícios e tomar os medicamentos adequados.

Quando investigo a história médica familiar dos pacientes com excesso de peso, eles normalmente mencionam um pai ou um avô que desenvolveu diabetes em idade avançada, muitas vezes depois dos setenta ou oitenta anos. Em geral, o paciente não tem idéia de que essa forma tardia de ocorrência da doença em um membro da família é sinal de que outra condição silenciosa, mas potencialmente fatal, está presente, preparando internamente o terreno para um ataque cardíaco ou derrame. O gene do diabetes é transmitido a todos os filhos. Um sinal da manifestação precoce da doença é o aumento de peso durante a meia-idade – anos antes de o nível de açúcar no sangue se tornar elevado.

Mas o que o diabetes tem a ver com um ataque cardíaco ou derrame? Esta é a dúvida mais comum das pessoas. Nos últimos dez anos, conseguimos estabelecer a ligação. Descobriu-se que aproximadamente metade das pessoas que sofreram ataques cardíacos sofre também de uma condição conhecida por vários nomes, como síndrome metabólica, resistência à insulina ou síndrome X. Sua existência só foi descoberta em 1989, e ainda estamos aprendendo muito sobre ela. Vamos chamá-la aqui de pré-diabetes, por ser o termo que mais se aproxima do que ela é – um estágio precoce da doença. Se não for detectado, o pré-diabetes se transformará em diabetes do tipo 2.

Segundo o último relato, aproximadamente 47 milhões de americanos – quase uma em cada cinco pessoas – têm probabilidade de desenvolver pré-diabetes. Entretanto, o percentual de adultos com doenças cardiovasculares que também sofre dessa síndrome é muito maior; talvez metade dos meus pacientes apresente sinais da síndrome. A seguir, apresentamos uma lista dos indícios estipulados pelo Programa Nacional de Educação em Colesterol (NCEP) dos EUA:

- Colesterol alto
- Alta proporção de colesterol ruim para colesterol bom
- Hipertensão
- Obesidade central (em forma de maçã)
- Triglicerídeo alto

Além disso, eu adicionaria:

- Pequenas partículas de LDL (colesterol ruim)

Essas condições também estão intimamente associadas a ataques cardíacos e derrames. A genética desempenha um papel importante na probabilidade de alguém apresentá-las. E uma alimentação imprópria também. Tentarei não sobrecarregar você com a teoria que explica a ligação entre as doenças cardíacas e o diabetes com início na idade adulta. Mas acredite: é importante que você entenda isso.

Fatos sobre o diabetes

Na maior parte das pessoas o diabetes é a incapacidade do organismo de metabolizar adequadamente os açúcares e amidos. O organismo digere uma refeição e transforma todos os carboidratos em glicose, que é o açúcar do sangue. Cabe ao pâncreas detectar essa infusão repentina de glicose e produzir o hormônio insulina. A insulina é necessária para permitir que os vários órgãos do corpo, como o cérebro, os músculos, o fígado e assim por diante, extraiam a glicose da corrente sangüínea para utilizá-la de imediato ou armazená-la para uso futuro. A necessidade de açúcar é constante — sem ele, ou com quantidades insuficientes, nos sentimos tontos, fracos, entramos em coma e logo depois morremos.

Imagine que cada célula de seu corpo possui uma trava e que a insulina é a única chave capaz de abri-la. Se as células permanecerem trancadas, os açúcares não poderão entrar, e continuarão circulando inutilmente na corrente sangüínea, onde não fazem bem algum, podendo causar problemas consideráveis.

Mas o que a maioria das pessoas não percebe é que o diabetes não está relacionado apenas ao modo como processamos o açúcar: relaciona-se também à capacidade de processar corretamente as gorduras que ingerimos.

Quando ingerimos gordura, seja ela proveniente da carne, de óleos vegetais ou de laticínios, também é função da insulina transportar os ácidos graxos (o componente básico das gorduras) da corrente sangüínea para os tecidos do corpo, onde serão usados imediatamente como combustível, ou armazenados para uso futuro, sob a forma que conhecemos como triglicerídeos, ou simplesmente gordura.

Na verdade, o diabetes pode ser visto como a incapacidade do corpo de controlar adequadamente seu suprimento de combustível. A obesidade também é uma questão de controle inadequado do combustível, devido a uma combinação de fatores genéticos e estilo de vida. Nosso corpo foi desenvolvido para armazenar o excesso de energia (o que chamamos de calorias) por um bom motivo. Durante a maior parte da existência da humanidade, assegurar um suprimento estável e suficiente de alimentos foi o nosso maior e mais importante desafio. Períodos de abundância e fome se revezaram, e, para se adaptar, o corpo humano economizou a energia do banquete de hoje, sabendo que amanhã talvez seria necessário queimar o combustível armazenado para sobreviver. É por isso que esse tipo específico de obesidade concentra a gordura no meio do corpo, deixando as extremidades flexíveis e musculosas para facilitar o trabalho manual e, especialmente, a fuga. A civilização avançada fez muita coisa para erradicar a fome, mas à custa de nosso abdome e de nosso sistema cardiovascular, que sofre com a gordura armazenada que não é mais necessária. Estaríamos melhor se nosso organismo eliminasse o excesso de energia como se fosse um resíduo, mas não é isso o que acontece.

A fisiologia da célula de gordura agrava essa situação. Quando engordamos, não estamos criando novas células de gordura, cujo número permanece o mesmo desde a infância. O que acontece é que as próprias células de gordura engordam. É por isso que a insulina tem dificuldade de se ligar às células de gordura nas pessoas com excesso de peso – as células ficaram muito grandes. Resultado: quando uma pessoa com excesso de peso come mais do que deve, é como se estivesse tentando encher um tanque de gasolina além de sua capacidade, fazendo com que o excesso acabe sendo derramado. No corpo, isso significa que os açúcares e gorduras circulam no sangue por mais tempo do que deveriam. Quando o corpo não transfere corretamente a glicose e os ácidos graxos da corrente sangüínea para os tecidos, os problemas começam. Se não forem tratados, os casos graves de diabetes são fatais.

Mas existem dois tipos de diabetes, e as diferenças entre os dois são importantes.

O diabetes juvenil (ou do tipo 1) normalmente surge na infância ou na adolescência. É causado por algum dano infringido ao pâncreas, possivelmente por um vírus. Como resultado, o órgão produz pouquíssima insulina para realizar a tarefa de pegar os açúcares da corrente sangüínea e levá-los aos tecidos apropriados. É uma doença incurável, que só pode ser tratada com a substituição da insulina produzida pelo pâncreas por injeções diárias de insulina. É por isso que seguir uma dieta cuidadosa e medir o nível de açúcar no sangue são tão importantes para o bem-estar dos diabéticos. É o que faz com que a insulina seja uma droga tão importante para a vida deles.

Não existe ainda um nome apropriado para o outro tipo dessa doença, por isso a chamamos de diabetes do tipo 2, ou diabetes com início na idade adulta, pois normalmente surge nesta idade. Como já dissemos, a culpa não é de nenhum vírus. Esse diabetes se deve ao que somos – à genética – e ao que comemos. Existe uma percentagem surpreendentemente alta de pessoas geneticamente predispostas ao diabetes desse tipo. Mas predisposição é apenas o *potencial* de desenvolver o diabetes. O que faz o maior estrago é uma dieta desequilibrada e o sedentarismo. Não podemos controlar nossos genes. Mas se você conseguir se alimentar melhor, poderá evitar essa forma de diabetes.

Ambas as doenças têm o mesmo nome, mas as causas são opostas. O diabetes juvenil é o resultado da incapacidade do pâncreas de produzir a insulina. No tipo 2, o pâncreas funciona bem; na verdade, produz excesso de insulina. Quando você sobrecarrega o organismo com excesso de gordura, dificulta o trabalho da insulina. Assim, o nível de açúcar no sangue não cai tão rápido como deveria, avisando seu pâncreas para produzir ainda mais insulina para destravar as células e deixar a glicose entrar. O pâncreas envia insulina até o limite, e é por isso que o nível de açúcar no sangue cai tanto. É o alto nível de açúcar na corrente sangüínea, e depois sua queda súbita (quando você finalmente produz insulina suficiente), que causa sua grande necessidade de comer. Esta necessidade faz com que você ingira ainda mais carboidratos, e o ciclo vicioso se instala.

Tudo o que foi dito acima é uma boa explicação para o motivo pelo qual a obesidade faz com que você coma demais, e pelo qual a ingestão de carboidratos deixa você cada vez com mais fome, em vez de gerar satisfação. Mas ainda não respondemos à pergunta: O que a obesidade e o diabetes do tipo 2 ou o pré-diabetes têm a ver com os problemas cardíacos?

Efeitos no coração

Tudo começa com a obesidade central. O aumento em seu abdome não é causado por um aumento no número de células de gordura no local. Quando você está com excesso de peso, o número de células permanece mais ou menos constante, mas todas as células aumentam de tamanho. Isto que dizer que as células de gordura "engordam". Quando essas células se expandem, a insulina tem dificuldade de se ligar a elas da maneira correta e "destravá-las". É por isso que, se o seu peso estiver muito alto, os níveis de açúcar e de gordura na corrente sangüínea aumentam mais do que deveriam. A chave de insulina demora mais para abrir as travas.

Isso, por sua vez, provoca vários outros problemas no sangue, que representam mais sinais do diabetes do tipo 2 (e até mesmo pré-diabetes), sinais que só um médico pode detectar. Eles formam, como já vimos, uma lista bem conhecida se prestarmos atenção às notícias de saúde da última década: hipertensão, triglicerídeos altos, baixos níveis de colesterol bom, alta proporção de colesterol ruim em relação ao bom e um fato relativamente desconhecido, mas crítico, relacionado a partículas muito pequenas de colesterol ruim.

Quando não funciona da maneira correta, a insulina leva mais tempo do que o normal para armazenar a gordura ingerida. Por causa desse atraso, o fígado é inundado por ácidos graxos. Em resposta a esta situação, o órgão emite partículas nocivas que depositam gordura e colesterol nas veias sangüíneas do coração, criando uma futura obstrução no fluxo sangüíneo.

Eis, então, a ligação entre obesidade e problemas cardíacos. O perigo não está nos carboidratos ou açúcares, e sim em como eles afetam a capacidade do organismo de processar as gorduras. Comer uma grande quantidade de pão doce recheado com geléia pode não provocar um ataque cardíaco, mas pode e cria condições propícias à sua ocorrência. A obesidade em si não prejudica o sistema cardiovascular; ela é apenas o primeiro sinal de um perfil sangüíneo pouco saudável, que algum dia, quase com certeza, prejudicará sua saúde e, talvez, sua vida.

É alarmante constatar a presença do diabetes do tipo 2 em jovens adultos e mesmo em adolescentes. Isso não quer dizer que somos geneticamente menos saudáveis do que as gerações anteriores, mas sim que os nossos hábitos estão muito piores. As pessoas que freqüentam academias e as que fazem as suas caminhadas pertencem normalmente à classe média, mas a verdade é que praticamos menos atividades físicas do que fizeram nossos pais ou avós. Talvez o trabalho deles exigisse mais esforço físico, ou eles não dispusessem das máquinas que ajudam na realização das tarefas. É possível até que eles caminhassem muito mais do que nós.

O sedentarismo é comum até mesmo entre os jovens. Fico angustiado com os níveis de atividade física das crianças hoje em dia. A tendência a construir escolas sem pátios, o que significa recreios muito curtos, e a troca das aulas de educação física por mais aulas em classes é um desastre. O tempo gasto na frente da TV, dos *videogames* e computadores também não tem ajudado.

As mudanças alimentares provavelmente são ainda mais prejudiciais do que a diminuição da quantidade dos exercícios físicos. Como delegamos cada vez mais o preparo de nossas refeições aos restaurantes *fast-food* e aos fabricantes de comida, houve uma piora não somente no sabor, mas também no conteúdo de fibras e nutrientes dos alimentos. De um certo modo, os produtores de alimentos iniciam o processo de digestão para nós. A fartura de que desfrutamos se traduz diretamente na quantidade de comida em nossos pratos. O fato de mais da metade das refeições nos Estados Unidos ser proveniente de lanchonetes tipo *fast-food* só agravou as coisas. Antigamente, os carboidratos que ingeríamos eram menos processados do que são hoje. A maior parte dos pães era produzida em casa ou em padarias locais, e não em fábricas, com grãos inteiros. E não se usava farinha processada várias vezes, desprovida de todas as fibras. Naquele tempo, não tínhamos tanta pressa, e a alimentação caseira era preparada com ingredientes crus. O arroz tinha mais fibras intactas e precisava ser cozido lentamente. A batata não era cortada e congelada, nem salgada e colocada em saquinhos. O jantar das crianças não se limitava a pratos preparados no forno de microondas. A maior parte da alimentação tinha sua vida útil medida em dias, e não em meses e, às vezes, em anos!

Não precisávamos de grandes quantidades de açúcar nas refeições, e não gastávamos tanto tempo entre praças de alimentação e vitrines com biscoitos de chocolate, geladeiras de lojas de conveniência e tudo mais.

Até mesmo o movimento em direção a uma alimentação saudável nos deixou ainda mais próximos desse estado nada saudável. Da próxima vez que for ao supermercado, examine as informações nutricionais de todos os produtos "com baixo teor de gordura". Invariavelmente, você descobrirá que foram adicionados carboidratos processados para substituir as gorduras. Ou observe como muitos pães possuem o rótulo "enriquecido com vitaminas" ou "enriquecido", o que significa que a maior parte das fibras naturais (que contêm as vitaminas) foi retirada, e por isso alguns nutrientes tiveram que ser colocados de volta!

Sei que estou descrevendo um padrão de alimento mais generalizado. É a política nutricional que deve ser culpada pelo que está acontecendo com milhões de americanos. Normalmente, os maiores danos só começam a aparecer lá pelos cinqüenta, sessenta anos. Mas o mal invisível vem atacando há décadas, preparando o palco para a futura catástrofe.

A cura para isso, felizmente, é a mesma solução para o problema de excesso de peso que assola milhares de pessoas que não estão especialmente preocupadas com seu futuro bem-estar cardíaco. Essa solução é o que tentei codificar em um plano de alimentação sensato, prático, fácil de lembrar e de seguir, que será explicado até o final deste livro. A saúde do organismo deveria ser a verdadeira meta de qualquer grande dieta. Sei que ter uma boa aparência externa é importante, mas ter vasos sangüíneos fisicamente perfeitos e, como resultado, uma química sangüínea saudável é muito mais!

MINHA DIETA DE SOUTH BEACH

JUDY H.: "PASSEI DO TAMANHO 50 PARA O TAMANHO 44. TENHO 55 ANOS E SOU DIVORCIADA. HÁ APROXIMADAMENTE UM ANO, EU PESAVA 100 QUILOS.

Um mal de família. Do lado da minha mãe, todos os antepassados e seus filhos mais velhos são ou eram gordos. Quando jovem eu era razoavelmente magra. Mas, depois que tive meus filhos, engordei e parecia uma sanfona, engordando e emagrecendo. Experimentei diversas dietas com o passar dos anos, e sempre consegui emagrecer. Certa vez, perdi vinte quilos em uma dieta bem rígida, mas logo recuperei tudo de novo. Nunca fui chegada ao café da manhã e não bebia café. Eu passava a manhã inteira sem comer nada, e no almoço comia qualquer coisa que o pessoal do escritório escolhesse. Fazíamos muitas vezes as refeições num restaurante de massas, que era o meu favorito.

Depois do almoço, não comia mais nada até a hora do jantar. E no jantar comia carne, vegetais, salada e algum tipo de amido, massa ou batata. Gostava muito de outros tipos de carboidratos, como *pizza* e sanduíches. Preferia comer um sanduíche em vez de perder tempo comendo um bife com batata. Não comia muitos doces, mas gostava de pães e sobremesas. Não bebia muito refrigerante, até porque nunca tinha muita sede.

Um dia, eu observei como uma das meninas do escritório tinha emagrecido e estava bem. E ela me disse que estava fazendo a dieta do Dr. Agatston. Deu-me uma cópia da dieta, e comecei a segui-la. Já perdi cerca de 25 quilos, mas, quando li a dieta pela primeira vez e vi a restrição a carboidratos, achei que nunca ia conseguir segui-la. Então pensei: "Bom, *tenho* que tentar." Assim, decidi não ter mais pães em casa, nem leite. Livrei-me de tudo o que podia me tentar e não comprei mais nada.

Até hoje sinto falta dos pães, sinto mesmo. Adoraria comer um pão italiano com manteiga, mas não farei isso, porque sei que não vou conseguir me controlar. Nas últimas semanas, quase cometi um deslize, querendo experimentar apenas um pouquinho disso ou daquilo. Antes, eu nem pensava em experimentar nada. Mas notei também outra coisa: o prazer de me sentir mais magra é tão grande, que quando engordo um pouco, como aconteceu agora, é como se um sino tocasse me alertando. Mas é bom ficar vigilante. Sei que vou ter que vigiar os carboidratos até o fim da vida.

As duas primeiras semanas não foram tão ruins. Eu sentia que aquela era a minha última chance. Comecei e continuei persistindo. Pude perceber a diferença na primeira semana. Em seis semanas, perdi nove quilos. Depois, comecei a incluir mais frutas e vegetais na dieta, um pouco de maionese no atum e coisas do tipo, mas aboli completamente os cereais e a aveia. Quando saio para comer fora, vou a restaurantes onde não precise ficar me torturando. Em vez de ir a um italiano, vou a um chinês. Adoro frutos do mar. Gosto de mexilhões, patinhas de caranguejo, camarão. Bebo chá gelado com adoçante ou refrigerante *diet*. Volto para casa totalmente satisfeita. Esta é a minha recompensa, duas vezes por semana.

Aconselho você a, antes de comprar alguma coisa, verificar todos os ingredientes. Quando vou ao supermercado, compro picolé sem açúcar para quando quero comer algo doce. Quando não durmo bem à noite e sinto vontade de comer alguma coisa, tomo dois deles e a vontade passa. Faço gelatina sem açúcar, tomo refrigerante *diet*. No café da manhã, às vezes pego uma fatia de frios e enrolo com queijo sem gordura e tomate picado. Eu ainda não sou muito fã do café da manhã, mas acho que ajuda a dar energia.

E nada de bolos e doces. Fui aprendendo o que podia comer nas festas. No casamento do meu sobrinho, comi salmão, salada e só, resisti ao bolo de casamento. No momento foi difícil, porque adoro bolo recheado, mas, quando cheguei em casa, a vontade tinha passado e eu me dei os parabéns.

Minha família me dá muito apoio. Fiquei muito feliz ao encontrá-los, sobretudo pela reação de todos com a minha aparência. Fui encontrar um velho amigo que não via há muitos anos e ele exclamou ao me encontrar: "Judy, você parece a mesma pessoa de 25, 30 anos atrás!" Eu lhe dei um grande abraço. Continuo gordinha, não me entenda mal, mas com essa dieta eu passei do tamanho 50 para o tamanho 44. Foi a única dieta que realmente funcionou para mim." ■

COMO COMER EM RESTAURANTES

Como esta dieta é muito prática e simples, suas regras podem ser seguidas com facilidade, mesmo que você tenha o hábito de fazer as refeições fora de casa.

Isso normalmente não acontece com as dietas de emagrecimento. Por este motivo, é muito importante que a dieta de South Beach tenha resultados positivos, independentemente de quem prepare suas refeições. O problema das refeições feitas fora de casa é grande, principalmente para quem segue dietas com baixo teor de gordura. Normalmente, as pessoas adotam duas opções: perguntam aos garçons como foi feito o peito de frango, ou quais os ingredientes de determinado molho, sem saber se podem confiar na resposta. A segunda opção, bastante melancólica, é levar a própria comida. Mesmo que ninguém reclame, é muito triste ver um adulto saudável tentando se satisfazer com a comida que trouxe de casa enquanto seus acompanhantes degustam uma deliciosa refeição.

A solução é procurar restaurantes onde as refeições sejam saudáveis e frescas. Com a crescente consciência da importância de uma alimentação saudável, eles têm se multiplicado. O azeite de oliva vem sendo incorporado à alimentação, e os cardápios dos restaurantes incluem muitos grelhados e poucas frituras. Por esses motivos, os seguidores da dieta de South Beach não devem ter dificuldade em comer fora.

Claro que ainda é necessário prestar atenção à alimentação, mas as refeições fora de casa são uma boa oportunidade para dar preferência às coisas de que você mais gosta, se isso contribuir para você se controlar durante o resto do dia. Meus pacientes me ensinaram algumas estratégias que podem ajudar você a comer com sabedoria, mesmo quando estiver fora de casa.

Eis uma estratégia simples: coma alguma coisa 15 minutos antes de chegar ao restaurante. Faça um lanche com algum tipo de proteína. Um pedaço de queijo desnatado é uma boa opção, pois pode ser levado na bolsa ou na pasta de trabalho. Assim, você começa a satisfazer seu apetite antes, e quando chegar o momento de escolher o prato sua fome já estará um pouco aplacada.

Recomendo que você faça isso para não precisar cair na armadilha mais traiçoeira de qualquer refeição em um restaurante: o *couvert*. Normalmente, chegamos famintos aos restaurantes, e logo colocam à nossa frente o famigerado *couvert*: uma cesta de pães frescos, quentinhos e cheirosos, repletos de carboidratos ruins. Este tipo de alimento não ajudará muito a satisfazer seu apetite, mas com certeza vai entupir sua corrente sangüínea de glicose, preparando uma hipoglicemia reativa e deixando você com mais vontade de comer durante o resto do dia.

A maior parte das pessoas que seguem alguma dieta costuma se prevenir, pedindo ao garçom para dispensar o *couvert*, o que é uma excelente idéia, desde que os acompanhantes não se importem. Se eles se importarem, peça que a cestinha de pães seja retirada da sua frente.

Outra boa idéia a ser adotada quando você chegar ao restaurante: peça uma sopa, de preferência um caldo de legumes ou de carne. O objetivo desta estratégia, além de ajudar a satisfazer seu apetite, é prolongar o tempo da refeição. A idéia é boa porque, segundo especialistas, existe uma certa defasagem entre o momento em que o seu estômago começa a ficar satisfeito e o momento em que o cérebro percebe essa satisfação. Isso explica por que é tão fácil chegar ao ponto em que percebemos aquela desconfortável sensação de estar empanturrados. Hoje, quando a velocidade no preparo e no consumo das refeições é uma necessidade, esse tipo de situação é um perigo. Temos o hábito de comer tão rápido que logo ficamos satisfeitos e, mesmo assim, continuamos a comer, até que, de repente, sentimos como se fôssemos explodir.

Ao tomar o caldo, o processo de satisfação da fome começa e avisa o cérebro que você já está atingindo seu grau de satisfação. É bom que a sua fome seja cortada logo no começo da refeição, pois caso contrário você vai comer mais do que realmente precisa quando a comida chegar.

Examine a cesta de pães do *couvert* e veja se encontra um bom pão integral. Se encontrá-lo, mergulhe-o em azeite de oliva. O azeite diminui a absorção de amidos, contribuindo para a sensação de saciedade. Acredite se quiser: o pão com azeite, ou mesmo com um pouco de manteiga, é melhor para a sua dieta do que o pao sem nada, apesar das calorias a mais.

Outra dica: prefira restaurantes que sirvam comida mediterrânea, como os de culinária grega e do Oriente Médio, que utilizam muito azeite de oliva, o que é sempre positivo. Você pode pedir *hummus,* uma pasta feita com grão-de-bico, acompanhada de pão sírio, que é muito melhor do que o pão branco com manteiga. Você também encontrará pratos feitos com grãos integrais, como tabule e cuscuz, que podem substituir a batata e o arroz. Normalmente, esse tipo de culinária utiliza temperos e condimentos em vez de adoçantes, para realçar o sabor dos pratos.

Se for a um restaurante italiano, tente estruturar a refeição exatamente como fazem os italianos: em etapas, começando com uma porção modesta de massa *al dente,* coberta com um saudável molho de tomates, seguida por um prato principal preparado com carne, peixe ou hortaliças frescas, inclusive folhas verdes como escarola e espinafre, ou vegetais crucíferos, como brócolis, além de uma salada temperada com azeite de oliva.

Na Itália, não é normal chamar de refeição um prato enorme de massa acompanhado de uma cesta cheia de pães. É por isso que os italianos podem comer massas duas vezes ao dia e a incidência de obesidade não ser tão alta quanto a encontrada nos Estados Unidos. Em vários restaurantes é possível pedir meia porção de massa como entrada. Experimente e verá que pode ter uma sensação de saciedade. É importante ingerir quantidades suficientes de gorduras boas (o pão com azeite de oliva) e de bons carboidratos (as hortaliças e a salada) para combater os amidos da massa.

Afaste-se do arroz e da batata em qualquer restaurante. Em seu lugar, peça uma porção dupla de hortaliças. Nunca peça frituras. Assados, grelhados, produtos feitos na brasa, cozidos, cozidos no vapor e até mesmo refogados estão liberados. Se houver molho, pergunte como é feito. Isso não significa que você não possa nem experimentar o molho, mas eu garanto que basta metade da concha para sua satisfação.

Em relação às bebidas, comece com água, assim que se sentar. Tome uma ou duas taças de vinho tinto (que faz bem para a saúde e não engorda tanto). Evite o vinho branco, destilados e, a pior opção de todas, a cerveja.

Não precisa se torturar na hora da sobremesa. Se você comer fora quatro vezes por semana, precisará dizer não na maioria das vezes, mas se for uma ocasião especial, aproveite! Coma frutas frescas, se lhe apetecerem. Se tiver muita vontade de comer frutas com sorvete, tudo bem. Você pode pedir que o sorvete e a fruta sejam servidos em pratos ou taças diferentes, pois assim poderá preparar a sua própria sobremesa, usando três colheres de chá de sorvete e jogando por cima as frutas frescas. Agora, se nada for suficiente, apenas aquele tentador bolo de chocolate, peça-o, mas divida-o com as outras pessoas da mesa. Coma apenas três garfadas pequenas, e o mais devagar possível. Peça ao primeiro garçom que passar para levar embora o que sobrar. Tente fazer a seguinte experiência em casa: coma três colheradas pequenas de qualquer sobremesa, depois deixe o que sobrar de lado por alguns minutos. Você verá que essa quantidade será mais satisfatória do que o pedaço inteiro, e certamente será motivo de orgulho para você.

Claro, tudo o que falamos até agora pode ser aplicado se você estiver comendo em um restaurante normal, mas o fato é que inúmeras refeições são feitas em restaurantes do tipo *fast-food*. É difícil pensar em alguma estratégia que possa ser útil em uma situação dessas. Tudo parece conspirar para que as pessoas tenham a pior refeição possível, pelo menos do nosso ponto de vista.

Comece eliminando as atrações principais. Não coma hambúrguer (muita gordura saturada e óleo, muitos carboidratos no pão). Não coma o peixe também, já que o pão e o método de cozimento o tornam ainda mais gorduroso do que o hambúrguer. Nada de batata frita (a pior parte da refeição, do ponto de vista do índice glicêmico, é a batata e o *ketchup*). E nada de refrigerantes, que são açúcar puro. Veja como os restaurantes *fast-food* enfatizam o que têm de pior – até mesmo a "superoferta" é simplesmente um modo de vender o excesso da parte mais barata da refeição, o refrigerante e a batata frita. Nos restaurantes *fast-food*, a maior ênfase fica com os itens grandes, doces, gordurosos e *rápidos* — todos os elementos que contribuíram para que a obesidade se tornasse um problema tão grande e sério.

Você pode ir a um restaurante *fast-food* e limitar-se à salada (com azeite e vinagre, no lugar de outro molho) e ao peito de frango grelhado (nos lugares que oferecerem esta opção), acompanhados de água. Os *nuggets* de frango e o frango frito são uma péssima opção. Como no caso do peixe, os *nuggets* são pedaços de carne envoltos em uma grande quantidade de farinha de pão fritos em grande quantidade de gordura. Se nada disso lhe agradar, com certeza você não pode comer nesse tipo de lugar e, ao mesmo tempo, seguir qualquer tipo de dieta saudável. Isso não é surpresa para você, é?

MINHA DIETA DE SOUTH BEACH

JUDITH W.: "MEU MANEQUIM DIMINUIU TRÊS TAMANHOS, E O MEU COLESTEROL TAMBÉM ESTÁ BAIXO.

Sofro de hipertensão e angina há muitos anos. Toda a minha família tem problemas cardíacos. Passei por uma cirurgia de ponte de safena tripla em 1990, e fui a mais nova da família a fazer a cirurgia. Minha mãe e minha irmã também a fizeram. Há alguns anos, precisei procurar um novo cardiologista e fui ao Dr. Agatston. A primeira coisa que ele me disse foi que eu precisava emagrecer, e, como eu pesava quase 80 quilos na época, sabia que ele tinha razão. Ele não disse nada que eu não soubesse, mas me incentivou e sugeriu esta dieta. Cortei todos os carboidratos necessários e também o açúcar. Fui aconselhada a não comprar produtos sem gordura, pois eles possuem níveis mais altos de açúcar, mas mesmo assim comprei leite desnatado e queijos sem gordura. Antes de começar a dieta, eu não tomava café da manhã, mas tinha o costume de beliscar à noite frutas ou biscoito. Sempre comi batata assada, mas nunca com manteiga, pois não pensava que houvesse problema nisso. Eu comia batata frita sempre que tinha vontade e, é claro, não dispensava o hambúrguer. Tentava cuidar da minha alimentação, mas não me esforçava muito. Lentamente, como era de se esperar, comecei a engordar. Eu estava em pânico quando comecei a dieta, pois nunca tinha ficado tão gorda em toda a minha vida. Nunca. Depois que passei pela fase mais rígida, voltei a reintroduzir alguns tipos de carboidratos, mas não muitos, pois não confio neles. Eu como uma pequena quantidade de massa integral, assim como arroz integral. Praticamente só isso. Não como nenhum tipo de batata, só batata-doce assada, e nunca a batata inteira, apenas a metade. Geléias ou gelatinas dietéticas, se necessário, mas, para minha sorte, não sou muito chegada a doces. Quando voltei a introduzir os carboidratos, continuei emagrecendo. Agora, vou poder comer de vez em quando um sanduíche de pão integral – quanto mais finas as fatias, melhor.

Emagreci 14 quilos em seis meses, e, três anos depois, continuo com o mesmo peso. Meu manequim diminuiu três tamanhos, e o colesterol também está baixo. Meu marido disse que esta é a dieta mais cara que já fiz, pois tive que refazer meu guarda-roupa. Sou advogada, por isso preciso de roupas mais sofisticadas. Também tenho muitos compromissos à noite, mas, apesar de adorar festas, não me sentia animada a comprar roupas novas. Finalmente tenho uma excelente desculpa para reformar meu guarda-roupa!"

DE VOLTA À CARDIOLOGIA

Como disse antes, cheguei ao estudo das dietas e ao emagrecimento por meio da cardiologia preventiva, minha especialidade. Concordo plenamente com uma frase do famoso grupo do Framingham Heart Study: "Um ataque cardíaco ou um derrame indicam uma falha na terapia médica, e não o início da intervenção médica." Estou convencido de que atualmente a prevenção da maioria dos ataques cardíacos e derrames não é um sonho impossível. Até as pessoas que me procuram com história familiar de doenças cardíacas precoces podem, na maioria dos casos, superar a predisposição genética. O mais importante é iniciar a prevenção desde cedo. Quanto mais cedo a prevenção tiver início, mais fácil será evitar a futura catástrofe. Em muitos casos, a primeira manifestação de ataque cardíaco ou derrame é também a última.

Obviamente, a dieta é um componente crucial de nossa estratégia de prevenção. Para muitos pacientes, particularmente aqueles com diabetes ou pré-diabetes, a dieta é a preocupação principal. Os exercícios são importantes, e existem medicamentos e suplementos maravilhosos, que resultam em um plano preventivo completo. A dieta, porém, é o elemento essencial.

Se a dieta for negligenciada, talvez um dia você tenha que arriscar suas chances com os chamados milagres da cardiologia moderna – angioplastia, ponte de safena, transplante e talvez até mesmo um coração totalmente artificial. Tais medidas podem restaurar a função cardíaca o suficiente para manter-nos vivos. Mas não podemos deixar de observar que todos esses procedimentos são conseqüências de uma falha. São esforços extremos, invasivos e desesperados que se fazem necessários quando paciente e médico se demonstram incapazes de manter o funcionamento natural do sistema vascular. Em alguns casos, uma doença ou disfunção causa o problema. Atualmente, a maior parte dos ataques cardíacos e derrames pode ser *prevenida*.

Exercícios

Como na dieta, a meta é encontrar um plano de exercícios que se adapte ao seu estilo de vida e não pareça uma intervenção – algo que você possa incorporar facilmente à sua rotina. Você pode buscar os melhores exercícios para o coração, que o façam entrar em forma, e se tornar um maratonista. Mas se para isso for necessário remodelar a sua vida, provavelmente não conseguirá. Você não conseguirá manter a atividade durante muito tempo, e o próprio desencorajamento, em si, vai deixá-lo pior do que estava quando começou.

Além disso, você não *precisa* ter o físico de um atleta; precisa sim de um programa de exercícios para desenvolver a saúde cardíaca, uma dose diária de atividades que possa gerar o efeito desejado da maneira mais eficaz possível. Qualquer coisa além disso é lucro. Muitas pessoas começam logo com um programa de alta intensidade, conseguem mantê-lo por algum tempo, mas logo se cansam e voltam ao sedentarismo. É melhor praticarmos diariamente 30 minutos de exercícios. Você não vai queimar muitas calorias, mas o efeito acumulativo será benéfico. Pelo menos você vai se livrar daquele quilinho anual que a maior parte das pessoas de meia-idade ganha sem perceber. Com certeza, as pessoas que praticam exercícios com freqüência e com prazer se saem melhor. Essa situação, tampouco, não é apenas uma questão de saúde cardíaca: acredito que movimentar o corpo e estender os limites coloca as pessoas em um saudável estado mental, além de proporcionar diversos outros benefícios.

A primeira coisa de que você precisa é de algum tipo de atividade aeróbica, mas não é necessário ficar uma hora na esteira, no *step* ou na bicicleta. Aqui vai minha recomendação: uma caminhada diária de 20 minutos. Não corra, a não ser que tenha vontade. Use esta regra simples: se você suar um pouco, quer dizer que alcançou o seu objetivo. A maior parte dos benefícios dos exercícios é obtida nos primeiros 20 minutos. Você pode parar neste ponto, se quiser, pois já atingiu seu objetivo. Mas é necessário fazer a atividade diariamente durante 20 minutos, de maneira vigorosa, religiosamente. Se você gosta de nadar e tem condições de praticar esse esporte em qualquer época do ano, vá em frente. Novamente, não é necessário treinar como um atleta olímpico, bastam 20 minutos.

Além disso, recomendo alongamento, principalmente porque ele garante que você não irá se machucar ao praticar algum exercício. Com o passar dos anos, vamos perdendo a flexibilidade. Uma boa rotina de alongamento pode evitar isso.

Finalmente, a musculação traz muitos benefícios. Aumenta a proporção de músculos em relação à gordura. Com isso, o metabolismo se acelera, fazendo com que o organismo queime combustível mais rapidamente, mesmo quando você está dormindo. Não é necessário virar um halterofilista, mas o aumento da massa magra – o que significa perda de gordura – é importante. No caso das mulheres, em especial, a musculação ajuda a manter a densidade óssea, prevenindo a osteoporose. Diminui-se assim a probabilidade de fratura de quadril ou outros problemas desse tipo.

Além disso, os exercícios ajudam a reduzir a pressão arterial e aumentam o colesterol bom. Com a prática regular de exercícios e uma dieta balanceada, você estará fazendo tudo o que é possível para assegurar um futuro cardíaco saudável. Estará fazendo muito mais para si do que a ciência médica poderia fazer.

Antes de realizar atividades físicas mais puxadas (mais de 90 minutos), coma algum tipo de carboidrato com baixo índice glicêmico, como um iogurte desnatado, mingau de aveia ou pão de centeio integral. Faça isso pelo menos duas horas antes de se exercitar, para ter um bom suprimento de carboidratos, garantindo-lhe energia. Depois dos exercícios, é necessário repor as reservas do combustível glicogênio. Sendo assim, você pode comer pão branco ou batata.

Medicamentos e suplementos

Antes, neste livro, descrevi meu compromisso, em minha jornada como cardiologista, com a abordagem da "prevenção", sobretudo no que se refere à dieta. No entanto, nem sempre os exercícios e a dieta, isoladamente, podem assegurar a saúde cardíaca. No final da década de 1980, surgiu uma nova classe impressionante de drogas controladoras do colesterol conhecidas como estatinas – medicamentos como Mevacor, Pravacol, Lescol, Zocor e Lipitor. Esses medicamentos permitiram a redução do colesterol de maneira simples e expressiva – inicialmente de 20% a 30%, chegando a 50%. Com essas drogas, pensávamos que os pacientes poderiam prescindir do controle alimentar. Fazendo ou não dieta, eles poderiam se aproveitar do baixo colesterol.

Claro que as estatinas nada fizeram para afinar a silhueta das pessoas. Ainda assim, o critério prevalecente era esquecer a dieta e tomar os remédios. As estatinas eram (e ainda são) caras. Os estudos, porém, mostraram que essa classe de medicamentos poderia reduzir em aproximadamente 30% a incidência de ataques cardíacos.

Não vou importuná-lo com detalhes científicos sobre as estatinas. Esses compostos atuam bloqueando a produção de colesterol no fígado. Existem controvérsias associadas às estatinas, principalmente em relação à possibilidade de poderem causar problemas ao fígado. Isso foi explorado de maneira exagerada na imprensa popular. Uma droga à base de estatina foi recolhida do mercado devido à incidência inaceitável de reações tóxicas. Os atuais medicamentos à base de estatina existentes no mercado ocasionam apenas problemas raros, apesar do pânico ocasional que freqüenta os jornais e os noticiários da TV. Os benefícios das estatinas compensam de longe seus possíveis perigos. Na classe médica nunca houve grandes dúvidas sobre o seu uso. Considere o seguinte: a maioria dos cardiologistas que conheço com mais de 40 anos toma algum medicamento à base de estatina, até mesmo os que não apresentam sinais e história de problemas cardíacos. O medicamento não é barato, mas os resultados compensam. No entanto, não utilize nenhum desses medicamentos sem consultar seu médico.

Os suplementos também se tornaram uma parte importante dos cuidados cardíacos nos últimos anos.

A maioria das pessoas sabe que a ingestão diária de uma aspirina afina um pouco o sangue e ajuda a prevenir ataques cardíacos e derrames nas pessoas que correm este risco. Vale a pena enfatizar aqui o lado positivo da aspirina quando falamos de prevenção de problemas cardíacos – trata-se de um medicamento tão comum e barato que as pessoas se esquecem de que é uma parte importante de qualquer regime que vise à saúde cardíaca.

Há anos ouvimos dizer que as vitaminas antioxidantes clássicas (A, C e E) ajudam na prevenção de ataques cardíacos, derrames e câncer. Recentemente, porém, diversos estudos não conseguiram comprovar essas teorias científicas. A boa notícia é que as vitaminas antioxidantes atuais não fazem mal algum (a não ser para o bolso). A má notícia é que elas também parecem não fazer bem nenhum. Existem indícios de que a forma natural de vitamina E, chamada *d*-alfa-tocoferol, é eficaz na prevenção de ataques cardíacos e derrames, mas ainda é necessário um estudo mais profundo. Meu conselho é aumentar o suprimento de antioxidantes do organismo com exercícios e com o consumo de frutas e vegetais, que são ricos em nutrientes. Sugiro que você tome somente um polivitamínico diário.

Em contrapartida, as notícias sobre a utilização de suplementos de óleo de peixe na forma de cápsulas são empolgantes. Assim como aconselhamos o consumo freqüente de peixes ricos em óleos ômega-3, como o salmão e o atum, sugerimos também tais cápsulas. Elas reduzem o nível de triglicerídeos e diminuem a viscosidade das células sangüíneas. Descobriu-se também que evitam a morte repentina causada por arritmia cardíaca – a interrupção súbita e potencialmente fatal dos batimentos cardíacos normais. Os suplementos de ômega-3 também ajudam a prevenir o diabetes e o pré-diabetes. Além disso, podem auxiliar no tratamento da depressão e da artrite.

Eu, pessoalmente, costumo tomar aspirina, cápsulas de óleo de peixe e um medicamento à base de estatina.

Recentemente, um estudo revelou outro elemento importante para a lista de suplementos. Alguns homens passam por um tipo de problema equivalente à menopausa associado com a queda normal dos níveis de testosterona que começa a partir dos 20 anos. Sempre soubemos que esse hormônio é responsável pelo desejo sexual. Agora descobrimos que ele também pode ter alguma relação com a função cardíaca. Estudos indicam que os homens que têm ataques cardíacos muitas vezes apresentam também níveis de testosterona abaixo do normal. Os homens diabéticos também tendem a ter baixos níveis de testosterona. A reposição desse hormônio, quando existe deficiência, aumenta a massa muscular e óssea e diminui a obesidade abdominal. Parece que a queda nos níveis de testosterona pode ser outro motivo para o ganho de peso masculino que ocorre com o passar dos anos.

Nada sabíamos disso antes porque medíamos a testosterona somente em homens com disfunções sexuais. Agora, vemos o impacto desse hormônio na ligação obesidade-saúde cardíaca. Submeto todos os meus pacientes homens a exames de testosterona e indico um gel de testosterona (que é esfregado na pele) para aqueles cujos níveis estão baixos.

Exames de sangue avançados

A redução do colesterol total é uma meta preventiva importante, mas não é suficiente. Na verdade, a maioria das pessoas que sofrem de ataques cardíacos tem um nível médio de colesterol. Uma pessoa pode ter um nível baixo de colesterol e estar altamente sujeita a um ataque cardíaco, enquanto outra pessoa, com colesterol mais alto, pode estar bem. O colesterol total, *em si,* não conta toda a história.

Hoje, as pessoas sabem que existem dois tipos básicos de colesterol – o chamado colesterol bom (lipoproteínas de alta densidade, ou HDLs) e o colesterol ruim (de baixa densidade, ou LDLs). A proporção do colesterol bom para o colesterol ruim é um fator importante que pode ser medido por um exame de sangue.

Entretanto, existem também outros fatores que devem ser considerados, e, por esse motivo, os exames avançados de lipídios se tornaram uma importante ferramenta no acompanhamento da saúde cardíaca.

Atualmente, os laboratórios mais sofisticados são capazes de medir cinco subgrupos diferentes de HDL e sete de LDL. Um item que esses exames avaliam é o *tamanho* das partículas de colesterol. Em essência, partículas grandes são boas e as pequenas são ruins. Ficou comprovado que as partículas de HDLs grandes são mais eficientes em seu trabalho de limpeza das gorduras do que as HDLs pequenas. Ainda mais importante, porém, é a diferença entre as partículas de LDL grandes e pequenas. As pequenas penetram mais facilmente no revestimento dos vasos sangüíneos, onde formam placas de gordura, estreitando as artérias e obstruindo o fluxo sangüíneo. As partículas maiores de LDL não penetram no revestimento dos vasos sangüíneos com tanta facilidade, por isso seu potencial de danos é menor.

O exame avançado de lipídios foi realizado pela primeira vez no Lawrence Berkeley National Laboratory da Universidade da Califórnia em Berkeley e em seu braço comercial, o Berkeley HeartLab. O Dr. Robert Superko, M.D., diretor médico do laboratório, realizou um trabalho notável no sentido de educar os médicos quanto ao uso do exame avançado de lipídios em pacientes em tratamento. Quando examinamos as subclasses de colesterol juntamente com outros exames avançados, incluindo a Lp(a), a homocisteína e outros, podemos explicar mais de 90% dos problemas cardíacos encontrados. Também podemos testar a alta sensibilidade à proteína C-reativa – PCR –, um sinal de inflamação do revestimento dos vasos sangüíneos. O Dr. Paul Ridker, M.D., de Harvard, realizou a pesquisa revolucionária provando que a inflamação das artérias pode desempenhar um papel importante na arteriosclerose e nos ataques cardíacos. Medindo-se essa inflamação, é possível prognosticar os possíveis candidatos a um ataque cardíaco, mesmo em pacientes cujo nível de colesterol é normal ou baixo. É interessante observar que as pessoas com pré-diabetes ou diabetes muitas vezes possuem níveis normais de colesterol, mas alto nível de PCR.

EBT

Existe uma medida médica final que deve ser tomada para promover a saúde cardíaca e com a qual estou extremamente familiarizado: a tomografia com feixe de elétrons (EBT – *electron beam tomography*), uma ferramenta não-invasiva para examinar o coração. Mais do que o eletrocardiograma (ECG) ou que o teste de esforço, essa tecnologia pode nos fornecer as exatas condições dos vasos sangüíneos que abastecem o coração. Esse exame fornece informações críticas de que nenhum outro teste de diagnóstico é capaz.

Em junho de 1988, trabalhei com meus colegas, Dr. Warren Janowitz, M.D., David King e Manuel Viamonte, M.D., para descobrir um meio de identificar placas cardíacas de maneira simples, exata, indolor e não-invasiva. Utilizamos um tipo de tomografia computadorizada revolucionária na época, chamada tomografia com feixe de elétrons, ou EBT.

Essa tomografia computadorizada rápida e indolor (não utiliza agulhas nem contrastes e o paciente não precisa se despir) foi desenvolvida por um físico brilhante, o Dr. Douglas Boyd, Ph.D. O procedimento consiste em tirar fotografias em uma fração de segundos, congelando a imagem do coração em funcionamento. Com uma tomografia computadorizada convencional, os batimentos cardíacos parecem um borrão. Com a EBT da General Electric, obtém-se uma imagem de alta resolução das artérias coronárias. Com isso, é possível medir com precisão os depósitos de cálcio – indicadores precisos do valor total da arteriosclerose nas paredes dos vasos. Com o uso dessas imagens, é possível identificar quem precisa de tratamento antes que um ataque cardíaco ou derrame aconteça. Após o tratamento do paciente com dieta, exercícios e medicamentos, podemos realizar o exame novamente e monitorar a eficácia do tratamento.

Uma alimentação apropriada e a prática de exercícios ainda são as coisas mais importantes que você pode fazer para cuidar bem do seu coração. Associando-se esses dois itens ao exame avançado de lipídios, à terapia agressiva de lipídios e à EBT, a grande maioria dos ataques cardíacos e dos derrames poderá ser evitada.

MINHA DIETA DE SOUTH BEACH

NANCY A.: "EU NÃO ENGORDEI DURANTE A GRAVIDEZ. Trabalho na creche do hospital Mt. Sinai, onde alguns dos pais trabalham no departamento cardiovascular. Eles nos convidaram para fazer parte de uma pesquisa que estavam fazendo, e, em troca, teríamos consultas gratuitas com uma nutricionista durante três meses. Teríamos que escolher uma dieta aleatoriamente, e eu acabei ficando com a dieta dos carboidratos modificada, que acabou ficando conhecida como a dieta de South Beach.

Quando comecei, eu pesava quase 70 quilos. Nos cinco anos anteriores, eu havia tentado de tudo para emagrecer. Experimentei a *fen-fen* em três ocasiões diferentes e por isso engordei tanto – eu recuperava duas vezes o meu peso novamente todas as vezes que parava com o remédio. Também tentei o método Slim-Fast, mas depois de um tempo fiquei faminta de só ficar tomando *shakes,* então voltei aos meus velhos hábitos alimentares. Decidi que iria comer apenas salada. Isso também não funcionou, pois não tive força de vontade suficiente. Eu ficava com mais fome ainda depois de comer uma salada.

Cada vez que eu desistia de uma dieta, voltava a comer de tudo. Carne de porco assada com arroz, banana frita, frango frito. Também gosto de doces, por isso comia *cheesecake* e *cookies* de vez em quando. Depois de um bom jantar, tomava sorvete, comia cereal ou bolo.

As primeiras duas semanas da dieta de South Beach foram as mais difíceis; eu comia apenas carne magra, hortaliças e água. Lá pela segunda semana, eu estava subindo pelas paredes. Foi psicologicamente estressante, mas consegui. A ajuda da nutricionista foi muito útil. Nas primeiras semanas, acho que saí da dieta uma vez, comendo uma fatia de *cheesecake.* Fiquei tentada a comer arroz umas duas vezes, mas parei de comprar e não tinha mais arroz em casa. Foi difícil ter que abrir mão do arroz. Terminadas as duas piores semanas, ficou um pouco mais fácil. Eu podia variar mais. Fui ao mercado e fiquei como uma doida, comprando tudo que estava na lista. Podia comer frutas e vegetais – até comecei a experimentar alguns que nunca tinha experimentado antes. Estava ansiosa para experimentar outros alimentos: brócolis, aspargos, qualquer coisa que via. Depois de três meses, tinha perdido seis quilos. Na verdade, no dia em que fiz a última consulta com a nutricionista, descobri que estava grávida. Eu vinha tentando engravidar há cinco anos. Na verdade, já tinha até desistido de tentar. E lá estava eu, grávida afinal. Realmente não sei o que aconteceu, mas acho que não conseguia engravidar porque estava gorda demais e não me alimentava bem. Alguma coisa deve ter mudado. Eu tive uma gravidez perfeita.

Mantive o peso durante dois anos. Não engordei um grama na gravidez. Só recentemente comecei a sair um pouco da linha, e por isso acabei engordando novamente. Mas já pedi outra cópia da dieta à nutricionista e vou fazê-la novamente." ■

POR QUE ÀS VEZES A DIETA NÃO DÁ CERTO?

Eis uma boa pergunta, pois isso de fato acontece. Estamos sempre buscando os motivos e procurando encontrar maneiras de aperfeiçoar o programa. Em geral, as pessoas que seguem a dieta relatam que o desafio é surpreendentemente fácil. Isso ocorre, em parte, porque a dieta de South Beach não requer que você abra mão de comer aquilo de que gosta. Recomendamos que você coma até matar a fome e belisque quando sentir necessidade, mesmo durante as duas semanas iniciais, que são as mais rígidas da dieta.

Mas reconhecemos também que sempre é mais fácil no início, porque faz parte da natureza humana se dedicar e seguir à risca, inicialmente, qualquer novo regime voltado para a saúde. As pessoas se sentem motivadas e, por isso, ficam otimistas e cheias de determinação para entrar na linha. Antes que notem, já estão começando a emagrecer. Vêem o ponteiro da balança baixar, procuram no fundo do baú aquelas roupas que já não lhes cabiam mais e constatam com alegria a possibilidade de voltar a usá-las. É fácil seguir o programa com tanto reforço positivo.

E depois, o que acontece?

Até certo ponto, o fracasso resulta do sucesso do programa. As pessoas perdem de quatro a seis quilos durante as duas primeiras semanas da dieta. Depois, passam da fase inicial à Fase 2, que já não impõe tantas limitações, e começam a reintroduzir alguns dos carboidratos terminantemente proibidos na Fase 1. O objetivo de reintroduzi-los, como eu disse, são muitos: alguns carboidratos são benéficos; além disso, queremos que você siga uma dieta saudável que esteja o mais próximo possível da alimentação "normal". Isso significa que você vai voltar a comer frutas, pão ou massa de vez em quando, e até uma sobremesa aqui e ali.

Durante a Fase 2, você continua emagrecendo, mas não no mesmo ritmo da Fase 1. Dependendo de quanto quer perder, o processo pode levar um ano, talvez até mais.

Para algumas pessoas, o processo mais lento acaba sendo decepcionante. E elas lembram que a Fase 1 não era assim *tão* difícil. Não podiam comer alguns alimentos que adoravam, mas também não sentiam fome e emagreceram rapidamente. Por isso, decidem permanecer indefinidamente na Fase 1, até alcançarem sua meta.

Conheço muitas pessoas que tomaram essa decisão e tiveram êxito. Mas conheço muitas outras que fracassaram.

E aqui estão os motivos pelos quais fracassaram: a Fase 1 não foi feita para ser um plano alimentar de longo prazo. As opções de alimentos são poucas – carnes magras e peixes grelhados ou assados, queijos *light* e saladas, todos eles preparados no vapor ou usando gorduras benéficas, como azeite de oliva e óleo de canola. No lanche, nozes, palitos de mussarela *light* e só.

Do ponto de vista culinário, trata-se de uma dieta perfeitamente aceitável – durante duas ou três semanas. Depois disso, o tédio se instala. É aí que mora o perigo.

Nesse momento, as pessoas começam a improvisar, mas fazem isso de maneira inadequada. Retornam aos seus velhos maus hábitos – afinal, que mal pode fazer um pouquinho só? Seguem a Fase 1, mas comem biscoitos antes de dormir. Até aí, tudo bem. Mas depois começam a acrescentar um biscoito depois do jantar, constatam que o sabor é delicioso e provavelmente não faz mal algum, por isso resolvem passar a três biscoitos por noite. Três biscoitos por noite, sem danos maiores? Então podem comer um saquinho pequeno de salgadinho de milho às quatro da tarde. Se até agora não houve problema algum, que mal pode fazer saciar aquela vontade de comer uma *pizza* com cerveja no fim de semana?

Não precisa muito mais do que isso para estragar sua dieta.

Quando você constata que saiu totalmente da linha, talvez faça o que muitas pessoas tentaram fazer: volta à Fase 1. Só que dessa vez a dieta parece mais monótona do que da primeira vez.

A essa altura, o índice de desistência é alto. Algumas pessoas de fato desistem. Com sorte, você não vai acabar recuperando o peso todo e mais um pouco, embora isso seja comum nas recaídas.

É verdade, não se perde em um dia tudo que levamos anos para ganhar. Todos sabemos disso, mas é difícil não querer experimentar o caminho mais curto. Às vezes, o resultado final é o ganho de peso, e não o emagrecimento.

É importante que as pessoas gostem dos alimentos que ingerem. Comer deve ser um prazer, mesmo quando se está tentando emagrecer. Este é um dos princípios básicos da dieta de South Beach. Por isso, estimulamos todos os seguidores da dieta a passarem à Fase 2 depois da segunda semana, por mais tentador que seja permanecer um pouco mais na Fase 1. Estamos falando de uma dieta de longo prazo, que crie novos hábitos alimentares capazes de manter seu peso. Por isso as três fases são uma parte importante de seu sucesso. Talvez o emagrecimento seja mais lento, mas as chances de sucesso e de manutenção do peso são maiores.

Desafios diários

Uma segunda razão do fracasso tem mais a ver com as interferências da vida cotidiana em nossos planos. Você já chegou ao peso desejado. Agora está na Fase 3, a etapa de manutenção da dieta, o que significa que ainda precisa comer de uma certa maneira para manter o peso. Se seguir o programa, esta será sua alimentação pelo resto da vida.

A que tipo de interferências me refiro? As pessoas que viajam muito, sobretudo a trabalho, correm um risco maior de fracassar. As viagens são uma interferência sobretudo nas rotinas alimentares normais. Isso é um perigo. Se você não se precaver solicitando com antecedência uma refeição especial, vai acabar comendo os amendoins, a carne com molho, acompanhada de purê, ervilha e cenoura, e o bolo de frutas de sobremesa que lhe oferece a aeromoça.

E vai por aí afora. Quando finalmente chega ao hotel, já passou da hora de comer e você está morrendo de fome. A primeira coisa que faz é pegar o cardápio e fazer um pedido exagerado. Arrepende-se da decisão assim que coloca o fone no gancho, mas, quando a comida chega, você come tudo acompanhado de uma cerveja geladinha que estava no frigobar, para relaxar um pouco e ajudar a dormir.

No dia seguinte, você se alimenta corretamente, mas se estende mais tempo numa reunião de trabalho. Ainda não são oito da noite – e você já está morrendo de fome novamente – quando alguém resolve pedir *pizza* com refrigerante. Assim, você termina mais um dia enchendo-se de carboidratos.

Dias de trabalho longos, seja em casa ou em viagens, são os maiores vilões dos fracassos da dieta. A irregularidade nos horários normais das refeições acabam levando você a comer demais quando a comida finalmente chega. Ou então você é uma daquelas pessoas obcecadas por trabalho, que passa horas dentro de um escritório se enchendo de sanduíches.

Às vezes, o estresse do trabalho nos leva a ter uma recaída e voltar a adotar os antigos hábitos. As pessoas que comem quando se sentem pressionadas psicológica ou emocionalmente tendem a sair da linha. Pense em todos os alimentos com que costumamos nos compensar do estresse, da ansiedade ou de frustrações – bolos, tortas, biscoitos de chocolate ou massas, sem falar nos chopes e uísques.

Incluí ao longo do livro testemunhos de pessoas que seguiram a dieta de South Beach, chegaram ao peso desejado e lá permaneceram. Citarei a seguir uma pessoa que iniciou a dieta, emagreceu e depois teve uma recaída, voltando ao peso inicial. Sua história é um bom exemplo de como às vezes uma violação momentânea pode ser o prenúncio do desastre. Por isso, seu depoimento deve ser tão instrutivo quanto os outros. Para proteger sua privacidade, porém, não revelarei seu nome.

"Tive um infarto com cinqüenta e poucos anos, e passava por um processo de reabilitação cardíaca quando finalmente cheguei à conclusão de que era hora de emagrecer. Na época, eu pesava 106 quilos. Procurei uma nutricionista, que me recomendou uma versão da dieta de South Beach com duração de quatro semanas.

Durante as duas semanas iniciais, perdi três quilos. Mas fiquei me sentindo um pouco fraco, e por isso comecei a reintroduzir alguns carboidratos. Eu me senti melhor e continuei emagrecendo. Na época, o pão era o meu ponto fraco. Comia pão em todas as refeições. Quando ia a um restaurante, me enchia de pão no *couvert,* a ponto de estar sem fome quando a comida chegava. Às vezes, tinha que levar a refeição para casa. Por isso, cortei totalmente o pão.

Os doces eram meu outro ponto fraco. Eu adorava biscoito, principalmente de aveia com passas. Comia biscoito o dia inteiro – comprava-o fresquinho e levava para todos no trabalho, mas pegava um punhado sempre que entrava na cozinha.

Sempre comi muita batata também e tive que abrir mão, mas isso não foi muito difícil, comparado ao pão e aos doces. *Waffles* também, no café da manhã. Depois que comecei a dieta, cortei tudo isso do café da manhã, mantendo apenas os ovos. Muita água e café descafeinado.

No lugar dos biscoitos entre as refeições, passei a comer nozes. Talvez amendoim no lanche da tarde. E nada de sobremesa à noite. Antes, eu comia mais biscoito, ou talvez um prato fundo de sucrilhos com leite. Na dieta, quase sempre comia amêndoas de sobremesa, enquanto assistia à TV. Tirava apenas 15 do pote, como me instruíram, e as comia devagar, uma a uma, para durarem bastante.

Na Fase 2, perdi mais dez quilos. E a dieta estava ficando cada vez mais fácil. Nos restaurantes, eu recusava o *couvert.* Como prato principal, escolhia carne com hortaliças.

Foi então que, como deveria fazer, comecei a reintroduzir carboidratos à minha alimentação. Comia uma fatia de pão dia sim dia não, por exemplo, ou uma porção de arroz no lugar do pão. Continuei emagrecendo e segui a dieta durante um ano.

Foi quando tive que ir a uma grande festa da família. Uma festa enorme. Eu tinha me comportado tão bem até então, que resolvi me dar um presente – comer o que eu quisesse na festa. Disse a mim mesmo: "É um dia só, amanhã volto à dieta."

Mas esse amanhã nunca chegou. Gostei tanto de comer que não queria mais parar. Antes, se começava a introduzir carboidratos e parava de emagrecer, simplesmente voltava à Fase 1 e perdia tudo de novo. Dessa vez, não consegui. Antes de perceber, tinha recuperado tudo que emagrecera – quase vinte quilos. Agora, estou planejando voltar à Fase 1, mas vou ter que começar tudo de novo. A dieta é excelente e funciona. Mas é preciso segui-la."

É verdade que essa pessoa poderia ter dado vazão a seu desejo de comer doces na festa da família e voltar à dieta no dia seguinte. É assim que muitas pessoas fazem: cedem à tentação em ocasiões especiais – um casamento, férias ou um jantar – e compensam no dia seguinte. Nessa dieta, você pode cair do barco, descobrir que engordou de novo e voltar facilmente à Fase 1 até perder tudo que ganhou.

Tudo isso faz todo sentido, é claro – mesmo para as pessoas que destroem semanas, às vezes meses, de bom trabalho. Um deslize aqui e ali não faz assim tão mal, desde que você se lembre de entrar logo na linha!

MINHA DIETA DE SOUTH BEACH

STEVE L.: "SE VOCÊ SAIR DA LINHA DE VEZ EM QUANDO, É SÓ VOLTAR.

Fui ao Dr. Agatston quando ele se mudou para cá. Na minha primeira consulta ele disse: "Se resolvermos trabalhar juntos, este será nosso programa para prevenção da doença cardíaca. Se você tiver um ataque cardíaco, eu terei falhado."

Toda a minha família tem problemas cardíacos, por isso para mim era importante controlar os fatores de risco. Sempre pratiquei esportes. Tenho quase 1,90 de altura. E quando comecei o programa pesava uns 122 quilos – nunca estive tão gordo. Consigo disfarçar bem e tenho uma boa mobilidade, mas minha saúde não andava muito boa.

Pães e massas são meu ponto fraco. Adoro uma *pizza,* e era louco por carboidratos. Quando íamos a um restaurante, eu não resistia aos pães do *couvert.* Comia pão no mínimo três vezes por dia. E embora não seja muito de sobremesa, sempre tínhamos biscoitos em casa.

Parte do problema era uma ignorância razoável da minha parte. Cresci achando que todas as frutas eram saudáveis. Depois aprendi que algumas têm alto teor de açúcar, outras não. Os ovos, por outro lado, passaram para a categoria de alimentos positivos. Costumava tomar uma cervejinha, mas não bebo cerveja há mais de dois anos.

Minha esposa e eu adoramos cozinhar e comer. Mas passamos a comer arroz integral, em vez de arroz branco, e batata-doce, em vez de batata-inglesa. Descobrimos receitas maravilhosas e preparamos muitos pratos grelhados. Muitas hortaliças. E hoje comemos muito mais peixe do que antes. Pão, apenas em quantidades limitadas. Se decidir comer um sanduíche no almoço, uso pão de centeio ou integral, mas mesmo assim é mais carne que pão.

Fiz dieta a vida toda e normalmente no início ficava tonto, sentia-me fraco, essas coisas. Com esta dieta, não senti absolutamente nada. Nenhum efeito colateral. Minha esposa teve grande dificuldade durante as duas semanas iniciais da dieta. Eu não. E olhe que seguimos a dieta à risca. Ou seja, levávamos para o trabalho pistaches e um pedaço de mussarela *light* para o lanche da manhã e da tarde. Existem excelentes queijos *light*. A coisa mais traumática e difícil para mim foi tirar o pão.

Estou fazendo a dieta há seis meses e já perdi 22 quilos. Recuperei parte desse peso devido ao estresse e ao horário inadequado das refeições, mas sei que posso voltar à Fase 1 se quiser perder tudo de novo. E, com a bênção do Dr. Agatston, se sentirmos uma vontade irresistível de comer alguma coisa, podemos ir em frente e comer. Se você sair da linha de vez em quando, pode voltar depois. Portanto, quando saímos para jantar, de vez em quando pedimos uma sobremesa – talvez uma em cada três vezes. Mas é uma sobremesa para nós dois e comemos apenas uma ou duas colheradas, depois mandamos tirar. O suficiente para dar um toque doce à refeição. E só bebo vinho tinto – nenhuma outra bebida alcoólica. Não só emagreci como minha saúde também melhorou. Meus triglicerídeos, por exemplo, caíram de 256 para 62 depois de seis semanas. O colesterol também continua em queda." ■

PARTE DOIS

Cardápios e Receitas

FASE UM
Cardápios

Como você já deve saber, esta é a fase da dieta que impõe as maiores restrições. Deve ter apenas 2 semanas de duração – o bastante para resolver a resistência à insulina gerada pela ingestão excessiva de carboidratos ruins (em sua maior parte processados). O objetivo da Fase 1 é lhe fornecer grandes porções de proteínas, gorduras benéficas e os carboidratos de mais baixo índice glicêmico necessários para a satisfação e o controle dos níveis de açúcar no sangue. Entre eles incluem-se hortaliças com baixo índice glicêmico, que também contribuem com fibras, nutrientes importantes como o folato, excelente para a saúde do coração, e outras vitaminas e minerais. Muitas saladas e hortaliças podem ser ingeridas sem limites. Além disso, as opções de proteínas são muito variadas.

Ao fim dessa fase, o desejo de comer alimentos pouco saudáveis, sobretudo doce, pães e amidos, terá praticamente desaparecido. Você observará que recomendo seis refeições por dia. Portanto, você não deverá sentir fome e, se sentir, talvez seja por estar comendo porções pequenas demais. A dieta de South Beach não exige que as quantidades sejam medidas, tanto em termos de peso quanto de calorias. O tamanho das refeições deve ser normal – o bastante para saciar sua fome, mas não mais.

Dia 1

Café da manhã

170 ml de coquetel de hortaliças

2 quiches de hortaliças (página 148)

Café ou chá descafeinados com leite desnatado e adoçante

Lanche

1 porção de queijo mussarela light

Almoço

Filé de peito de frango grelhado com alface

2 colheres de sopa de vinagrete balsâmico ou molho pronto para consumo sem açúcar (página 161)

Gelatina diet

Lanche

Aipo com 1 fatia de queijo light (Polenguinho ou Minas)

Jantar

Salmão grelhado com alecrim (página 173)

Aspargos ou brócolis no vapor

Salada de folhas verdes, pepino, pimentão verde e tomate-cereja

Azeite e vinagre a gosto ou 2 colheres de sopa de molho pronto para consumo sem açúcar

Sobremesa

Creme de ricota com baunilha (página 190)

Dia 2

Café da manhã

170 ml de suco de tomate

1-2 ovos mexidos

2 fatias de lombo canadense

Café ou chá descafeinados com leite desnatado e adoçante

Lanche

1-2 rolinhos de peru (página 188)

2 colheres de sopa de maionese de coentro – opcional (página 188)

Almoço

Salada South Beach com atum (página 152)

Gelatina diet

Lanche

Aipo com 1 fatia de queijo light (Polenguinho ou Minas)

Jantar

Peito de frango grelhado

Berinjela com pimentão ao forno (página 180)

Salada de folhas verdes, pepino, pimentão verde e tomate-cereja

Azeite e vinagre a gosto ou 2 colheres de sopa de molho pronto para consumo sem açúcar

Sobremesa

Creme de ricota Mocha (página 190)

Dia 3

Café da manhã

170 ml de coquetel de hortaliças

Omelete fácil de aspargo e cogumelo (página 146)

Café ou chá descafeinados com leite desnatado e adoçante

Lanche

1 porção de queijo mussarela light

Almoço

Salada de camarão com molho de ervas e dill (página 155)

Gelatina diet

Lanche

1-2 rolinhos de presunto (página 188)

2 colheres de sopa de maionese de coentro – opcional

Jantar

Bife grelhado

Brócolis no vapor

Tomate grelhado (página 184)

Purê surpresa de South Beach (página 182)

Sobremesa

Creme de ricota com amêndoas (página 189)

Dia 4

Café da manhã

170 ml de suco de tomate

Ovos à florentina (1 ovo pochê servido sobre 1/2 xícara de chá de espinafre refogado no azeite)

2 fatias de lombo canadense

Café ou chá descafeinados com leite desnatado e adoçante

Lanche

Aipo com 1 fatia de queijo light (Polenguinho ou Minas)

Almoço

Salada do chef (pelo menos 30 gramas de presunto, 30 gramas de peru e 30 gramas de queijo light sobre folhas)

Azeite e vinagre a gosto ou 2 colheres de sopa de molho pronto para consumo sem açúcar

Lanche

Até 10 tomates-cereja recheados com 1/2 xícara de chá de queijo cottage

Jantar

Pargo ou vermelho com molho de cebola e gengibre (página 176)

Ervilha no vapor

Repolho em tiras refogado no azeite

Sobremesa

Creme de ricota Mocha

Dia 5

Café da manhã

170 ml de coquetel de hortaliças

Omelete de pimentão e chalotas (cebolas pequenas) (página 147)

Café ou chá descafeinados com leite desnatado e adoçante

Lanche

1-2 rolinhos de presunto

2 colheres de sopa de maionese de coentro – opcional

Almoço

Gazpacho (página 162)

Hambúrguer de filé grelhado (carne moída, cebola ralada, sal, pimenta, salsa e 1 ovo – sem pão)

Salada de folhas, pepino, pimentão verde e tomate-cereja

Azeite e vinagre a gosto ou 2 colheres de sopa de molho pronto para consumo sem açúcar

Lanche

Rodelas de pepino com pasta de salmão

Jantar

Frango balsâmico (página 164)

Refogado de tomate e cebola (página 183)

Espinafre no vapor

Salada de folhas verdes, pepino, pimentão verde e tomate-cereja

Azeite e vinagre a gosto ou 2 colheres de sopa de molho pronto para consumo sem açúcar

Sobremesa

Creme de ricota com amêndoas

Dia 6

Café da manhã

170 ml de suco de tomate

Ovos mexidos com ervas frescas e cogumelo

2 fatias de lombo canadense

Café ou chá descafeinados com leite desnatado e adoçante

Lanche

1 porção de queijo mussarela light

Almoço

Salada Caesar com frango (sem croutons)

2 colheres de sopa de molho Caesar pronto para consumo

Lanche

1/2 xícara de chá de queijo cottage com 1/2 xícara de tomate e pepino picados

Jantar

Dourado grelhado (página 178)

Hortaliças ao forno (página 179)

Salada de rúcula

2 colheres de sopa de vinagrete balsâmico ou molho pronto para consumo sem açúcar

Sobremesa

Creme de ricota com raspas de limão (página 189)

Dia 7

Café da manhã

170 ml de coquetel de hortaliças

Fritada de salmão defumado (página 145)

Café ou chá descafeinados com leite desnatado e adoçante

Lanche

Aipo com 1 fatia de queijo light (Polenguinho ou Minas)

Almoço

Salada de siri (página 156)

Gelatina diet

Lanche

2 fatias de mussarela light com 2 fatias de tomate fresco regadas com vinagre balsâmico, azeite e pimenta-do-reino moída na hora

Jantar

Rosbife de filé londrino (página 169)

Cogumelos recheados com espinafre (página 181)

Purê surpresa de South Beach

Salada de folhas verdes, pepino, pimentão verde e tomate-cereja

Azeite e vinagre a gosto ou 2 colheres de sopa de molho pronto para consumo sem açúcar

Sobremesa

Creme de ricota com raspas de limão

Dia 8

Café da manhã

Fritada light de espinafre com molho de tomate (página 144)

Café ou chá descafeinados com leite desnatado e adoçante

Lanche

1 porção de queijo mussarela light

Almoço

Carne fatiada (sobras do rosbife londrino) com salada verde

2 colheres de sopa de vinagrete balsâmico ou molho pronto para consumo sem açúcar

Gelatina diet

Lanche

Hummus (página 187) com hortaliças cruas
(pode ser comprado pronto)

Jantar

Frango refogado saboroso (página 166)

Purê surpresa de South Beach

Vagem cozida no vapor

Salada de alface com nozes pecã

Azeite e vinagre a gosto

Sobremesa

Creme de ricota com baunilha

Dia 9

Café da manhã

170 ml de coquetel de hortaliças

2 quiches de hortaliças

Café ou chá descafeinados com leite desnatado e adoçante

Lanche

1-2 rolinhos de presunto

2 colheres de sopa de maionese de coentro – opcional

Almoço

Salada grega (página 151)

Gelatina diet

Lanche

Aipo com 1 fatia de queijo light (Polenguinho ou Minas)

Jantar

Espetinho de peixe (página 177)

Hortaliças ao forno

Pepino fatiado com azeite

Sobremesa

Creme de ricota com raspas de limão

Dia 10

Café da manhã

170 ml de suco de tomate

Omelete de clara de ovo com lombo canadense e cogumelos

Café ou chá descafeinados com leite desnatado e adoçante

Lanche

1 fatia de queijo light (Polenguinho ou Minas)

Almoço

Salada Niçoise (página 160)

Lanche

1/2 xícara de chá de queijo cottage

Jantar

Filé apimentado ao conhaque (página 171)

Tomate grelhado com pesto (página 184)

Brócolis no vapor

Salada verde

2 colheres de sopa de vinagrete balsâmico ou molho pronto para consumo sem açúcar

Sobremesa

Creme de ricota com amêndoas

Dia 11

Café da manhã

170 ml de suco de tomate

Fritada de queijo (página 143)

Café ou chá descafeinados com leite desnatado e adoçante

Lanche

1-2 rolinhos de presunto

2 colheres de sopa de maionese de coentro – opcional

Almoço

Gazpacho

Hambúrguer

Salada de folhas verdes, pepino, pimentão verde e tomate-cereja

Azeite e vinagre a gosto ou 2 colheres de sopa de molho pronto para consumo sem açúcar

Lanche

1 porção de queijo mussarela light

Jantar

Peito de frango ao gengibre (página 165)

Ervilhas no vapor

Salada de repolho oriental (página 186)

Sobremesa

Creme de ricota com amêndoas

Dia 12

Café da manhã

170 ml de coquetel de hortaliças

Fritada de brócolis e presunto *(página 145)*

Café ou chá descafeinados com leite desnatado e adoçante

Lanche

1 fatia de queijo light (Polenguinho ou Minas)

Almoço

Salada de frango com pistache (página 153)

Lanche

1 porção de queijo mussarela light

Jantar

Salmão pochê com molho de pepino e dill (página 172)

Salada Armand (página 174)

Tomate grelhado

Aspargos ou brócolis ao vapor

Sobremesa

Creme de ricota com raspas de limão

Dia 13

Café da manhã

Ovos cozidos com lombo canadense

Café ou chá descafeinados com leite desnatado e adoçante

Lanche

Aipo com 1 fatia de queijo light (Polenguinho ou Minas)

Almoço

Salada de salmão pochê com espinafre
(o salmão é a sobra do dia 12)

Azeite e vinagre a gosto ou 2 colheres de sopa de molho pronto para consumo sem açúcar

Lanche

Hummus com hortaliças cruas

Jantar

Bife grelhado com molho de tomate (página 170)

Sobremesa

Creme de ricota Mocha

Dia 14

Café da manhã

Alcachofras Benedict (página 149)

Molho holandês (página 150)

Café ou chá descafeinados com leite desnatado e adoçante

Lanche

1-2 rolinhos de presunto

2 colheres de sopa de maionese de coentro – opcional

Almoço

Pimentão vermelho recheado com queijo cottage e hortaliças

Lanche

Hummus com hortaliças cruas

Jantar

Peito de frango grelhado com hortaliças grelhadas e funcho ou endívias

Sobremesa

Gelatina diet com uma colher de sopa de creme chantilly diet (com adoçante a gosto)

O QUE VOCÊ PODE COMER

CARNES
Carnes magras, como alcatra (pode ser moída) e filé

AVES
Frango (sem pele)
Peito de peru (duas fatias por dia)
Peito de frango e de peru

FRUTOS DO MAR
Todos os tipos de peixes e moluscos

PORCO
Presunto cozido
Lombo canadense
Filé

VITELA
Costeleta
Pernil
Filé

FRIOS
Somente frios sem gordura

QUEIJOS (SOMENTE LIGHT)
Americano
Cheddar
Cottage
Requeijão
Feta
Mussarela
Parmesão
Provolone
Ricota

NOZES
Manteiga de amendoim (1 colher de chá)
Amendoim, 20 pequenos
Noz-pecã, 15 metades
Pistache, 30

OVOS
O uso de ovos não é limitado, exceto quando seu médico indicar. Use a clara do ovo à vontade.

TOFU
Use as variedades light e macias

HORTALIÇAS E LEGUMINOSAS
Alcachofra
Feijão (preto, manteiga, grão-de-bico, vagem, italiano, mulatinho, lentilha, feijão-de-lima, soja, ervilha partida)
Brócolis
Repolho
Couve-flor
Aipo
Couve
Pepino
Berinjela
Alface (todos os tipos)
Cogumelo (todos os tipos)
Ervilha
Espinafre
Broto de alfafa
Nabo
Tomate (limite o consumo a 1 tomate grande ou 10 tomates-cereja por refeição)
Abobrinha

GORDURAS
Óleo de canola
Azeite

TEMPEROS E CONDIMENTOS
Todos os temperos que não contenham açúcar adicionado

CALDO
Extratos (amêndoa, baunilha e outros)
Molho de raiz forte
Pimenta (-do-reino, caiena, -malagueta, branca)

PEQUENOS AGRADOS (LIMITE DE 75 CALORIAS POR DIA)
Balas diet (sem açúcar)
Chocolate em pó, sem açúcar
Cacau em pó, para culinária
Gelatina diet
Chiclete diet
Picolé diet ou de fruta
Adoçante

O QUE VOCÊ DEVE EVITAR

CARNE
Peito
Fígado
Outros cortes gordurosos
Costeleta

AVES
Coxa e asa do frango
Pato ou ganso
Carnes de ave processadas

PORCO
Presunto assado com mel

VITELA
Peito

QUEIJO
Brie
Outros sem ser light

HORTALIÇAS
Beterraba
Cenoura
Milho
Batata
Batata-doce
Inhame

FRUTAS
Evite todas as frutas e sucos de frutas na Fase 1, inclusive:
Maçã
Damasco
Frutas vermelhas
Melão
Grapefruit
Pêssego
Pêra

AMIDOS E CARBOIDRATOS
Evite todos os alimentos contendo amido na Fase 1, inclusive:
Pães, doces e biscoitos, todos os tipos
Cereais
Mingau de aveia
Arroz, todos os tipos
Massas, todos os tipos

LATICÍNIOS
Evite todos na Fase 1, inclusive:
Iogurte
Sorvete
Leite integral ou de soja

OUTROS
Qualquer tipo de álcool, inclusive cerveja e vinho

FASE UM
Receitas

Por ser a fase mais restrita da dieta, nesta primeira fase não há muitas opções de ingredientes. O café da manhã é composto basicamente de ovos e as outras refeições de hortaliças, queijos light, carne e peixe. Nessas duas semanas iniciais pão, batata, frutas e arroz estão proibidos. Mas um cardápio que permite pratos como Assado de alcatra, Salada de camarão, Hummus e Creme de ricota com raspas de limão certamente não pode ser considerado rígido demais. E qualquer dieta que recomende que você coma seis vezes por dia – três refeições, dois lanches, um pela manhã e outro à tarde, e uma sobremesa à noite – tem por objetivo reduzir o máximo possível seu desconforto.

CAFÉ DA MANHÃ

Fritada de queijo

2 colheres de sopa de margarina light

1/2 xícara de chá de cebola picada

1/2 xícara de chá de pimentão vermelho picado

1/2 xícara de chá de abobrinha picada

2 tomates pequenos, em pequenos cubos

1 colher de sopa de manjericão fresco picado

1 pitada de pimenta-do-reino moída na hora

2 ovos

1/2 xícara de chá de queijo cotagge

1/2 xícara de chá de leite evaporado desnatado

25 gramas de queijo light ralado

Leve ao fogo brando uma frigideira média untada com margarina light. Derreta a margarina. Refogue a cebola, o pimentão e a abobrinha durante 2-3 minutos. Acrescente o tomate, o manjericão e a pimenta e misture bem. Deixe no fogo uns 2-3 minutos para os sabores se misturarem e depois retire a frigideira do fogo.
Pré-aqueça a grelha. Paralelamente, leve os ovos, o queijo cottage e o leite ao liqüidificador e bata a mistura até homogeneizar. Despeje a mistura de ovos sobre as hortaliças refogadas. Tampe e deixe cozinhar em temperatura branda até que a parte de baixo esteja firme e a de cima ainda um pouco úmida. Transfira a frigideira para a grelha e deixe durante 2-3 minutos. Salpique queijo por cima e grelhe até o queijo derreter.

Rendimento: *2 porções*

INFORMAÇÕES NUTRICIONAIS:
Cada porção contém 231 calorias, 21 g de proteína, 16 g de carboidratos, 10 g de gordura, 3 g de gordura saturada, 480 mg de sódio, 15 mg de colesterol, 2 g de fibras.

Fritada light de espinafre com molho de tomate

Fritada

1 colher de sopa de azeite extra-virgem

2 cebolas pequenas picadas

2 dentes de alho amassados

280 gramas de espinafre cozido, escorrido e picado

2 ovos grandes

3 claras de ovo

1/3 de xícara de chá de leite desnatado fervido

1/2 xícara de chá de queijo mussarela light ralado

Molho

4 tomates picados, sem semente

2 chalotas (cebolas pequenas) picadas

1 dente de alho picado

2 colheres de sopa de coentro fresco picado

1 colher de chá de suco de limão fresco

1 pitada de sal

1 pitada de pimenta-do-reino moída na hora

Para a fritada: Pré-aqueça o forno a 170 graus
Aqueça o azeite em fogo médio em uma frigideira não aderente média. Acrescente a cebola e o alho e leve ao fogo por 3 minutos, até a cebola ficar macia. Misture o espinafre. Abaixe o fogo. Em uma vasilha grande, bata os ovos e as claras com o leite até que fiquem amarelo claro, espumoso. Despeje a mistura de ovos sobre o espinafre, na frigideira. Leve ao fogo por mais 5-7 minutos, até a mistura de ovos estar cozida por baixo e quase por cima. Salpique com o queijo. Leve ao forno até a mistura cozinhar por completo e o queijo derreter, por 5 a 10 minutos.

Para o molho: Misture o tomate, as chalotas, o alho, o coentro, o suco de limão, o sal e a pimenta e misture em uma vasilha grande. Sirva sobre a fritada, à temperatura ambiente.Você também pode servir esta fritada com molho de tomate apimentado (salsa) pronto, que pode ser encontrado em supermercados.

Rendimento: ***2 porções***

INFORMAÇÕES NUTRICIONAIS

Cada porção contém 369 calorias, 27 g de proteína, 28 g de carboidratos, 17 g de gordura, 6 g de gordura saturada, 740 mg de sódio, 230 mg de colesterol, 8 g de fibras.

Fritada de salmão defumado

8 talos de aspargo fresco

1 colher de sopa de azeite extra-virgem

1/2 cebola

1/2 xícara de chá de tomate seco picado

60 gramas de salmão defumado

2 ovos

1/2 xícara de chá de água

3 colheres de sopa de leite em pó desnatado

1 pitada de manjerona fresca picada

1 pitada de pimenta-do-reino moída na hora

coalhada desnatada ou *sour cream* desnatado (opcional)

ova de salmão (opcional)

cebolinhas (opcional)

Leve uma panela grande com água ao fogo e cozinhe os talos de aspargo até ficarem macios. Leve ao fogo brando uma frigideira pequena, untada com margarina light. Coloque o azeite e deixe a cebola dourar, até ficar bem macia. Acrescente o aspargo e o tomate seco. Coloque o salmão defumado e retire do fogo.

Pré-aqueça a grelha. Paralelamente, misture os ovos, a água, o leite em pó, a manjerona e a pimenta. Despeje sobre a mistura de salmão. Tampe e leve ao fogo brando durante 7 minutos, ou até o fundo estar cozido e a parte de cima ligeiramente molhada. Leve a frigideira à grelha, um pouco afastada da fonte de calor, durante 2-3 minutos. Por cima, coloque a coalhada ou o *sour cream,* as ovas de salmão, a manjerona e a cebolinha, se desejar. Fatie e sirva imediatamente.

Experimente substituir os aspargos por 1 xícara de chá de flores de brócolis levemente cozidas e o salmão pela mesma quantidade de presunto.

Rendimento: ***2 porções***

INFORMAÇÕES NUTRICIONAIS

Cada porção contém: 241 calorias, 19 g de proteína, 18 g de carboidratos, 11 g de gordura, 2 g de gordura saturada, 730 mg de sódio, 5 mg de colesterol, 4 g de fibras.

Omelete fácil de aspargos com cogumelos

2 ovos

2 colheres de sopa de água

3 talos de aspargos frescos

1/4 xícara de chá de cogumelo fresco em fatias

1/4 xícara de chá de queijo mussarela light ralado

Leve uma panela grande ao fogo com água e deixe ferver. Acrescente o aspargo e cozinhe, sem tampa, até ficar macio e crocante.

Enquanto isso, pegue uma vasilha média e misture os ovos e a água, até as claras e as gemas ficarem totalmente misturadas.

Unte uma frigideira não aderente média com margarina light. Aqueça em fogo médio-alto e deixe aquecer, mas não muito (teste a temperatura acrescentando uma gota de água; se chiar, a temperatura está adequada). Despeje a mistura de ovos.

Levante as bordas da omelete com uma espátula, para que a parte crua escorra para baixo.

Quando estiver firme, recheie metade da omelete com os aspargos, os cogumelos e o queijo.

Vire a outra metade por cima da parte recheada. Retire com a espátula e leve ao prato onde a omelete será servida.

Sirva imediatamente.

Rendimento: ***1 porção***

INFORMAÇÕES NUTRICIONAIS

Cada porção contém 238 calorias, 21 g de proteína, 5 g de carboidratos, 15 g de gordura, 6 g de gordura saturada, 260 mg de sódio, 440 mg de colesterol, 1 g de fibras.

Omelete de pimentão e chalotas (cebolas pequenas)

1 colher de sopa de pimentão verde picado

1 colher de sopa de chalotas picadas

1 colher de sopa de pimentão vermelho picado

2 ovos (somente as claras)

3 colheres de sopa de queijo light ralado

Leve ao fogo uma frigideira média untada com margarina light. Refogue o pimentão verde e o vermelho junto com as chalotas até ficarem macios. Despeje as claras sobre eles. Quando estiver quase cozido, salpique o queijo ralado sobre metade da omelete e dobre a outra metade por cima. Mantenha a frigideira no fogo até que a omelete esteja totalmente cozida.
Sirva imediatamente.

Rendimento: ***1 porção***

INFORMAÇÕES NUTRICIONAIS

Cada porção contém: 169 calorias, 20 g de proteína, 4 g de carboidratos, 8 g de gordura, 3 g de gordura saturada, 320 mg de sódio, 15 mg de colesterol, 1 g de fibras.

Quiche de hortaliças

300 gramas de espinafre picado

3 ovos

3/4 xícara de chá de queijo light ralado

1/4 xícara de chá de pimentão verde em cubos

1/4 xícara de chá de cebola em cubos

3 gotas de molho de pimenta (opcional)

Leve o espinafre ao microondas durante 2 1/2 minutos na potência alta. Drene o excesso de líquido.

Unte uma fôrma para quiches, com capacidade para 6 unidades, com margarina light.

Misture bem os ovos, o queijo, o pimentão, a cebola e o espinafre. Divida a mistura nas fôrmas de quiches. Leve ao forno durante 20 minutos (170 graus). Para ver se estão assadas, insira uma faca no centro; se sair limpa, as quiches estão prontas.

As quiches de hortaliças podem ser congeladas e reaquecidas no microondas. Você pode usar qualquer combinação adequada de hortaliças e queijos light.

Rendimento: ***6 quiches***

INFORMAÇÕES NUTRICIONAIS

Cada porção contém: 77 calorias, 9 g de proteína, 3 g de carboidratos, 3 g de gordura, 2 g de gordura saturada, 160 mg de sódio, 10 mg de colesterol, 2 g de fibras.

Alcachofras Benedict

2 alcachofras médias

2 fatias de lombo canadense

2 ovos

4 colheres de sopa de molho holandês (ver próxima receita)

Lave as alcachofras. Corte o caule rente ao fundo e retire as folhas menores. Coloque as alcachofras de pé em uma caçarola funda com água e sal. Tampe e deixe ferver por 35-45 minutos. Escorra as alcachofras de cabeça para baixo. Arrume as folhas como se fossem pétalas de uma flor. Com uma colher, abra as "pétalas" para visualizar o fundo da flor; retire os pelinhos amarelos do centro no prato em que irá servi-las. Mantenha-as aquecidas.

Leve o lombo canadense ao fogo em uma frigideira e deixe corar; prepare os ovos em água quente com sal. Coloque uma fatia de lombo em cada alcachofra. Por cima, coloque um ovo pochê e 2 colheres de sopa de molho holandês. Sirva imediatamente

Rendimento: ***2 porções***

INFORMAÇÕES NUTRICIONAIS

Cada porção contém: 227 calorias, 18 g de proteína, 16 g de carboidratos, 12 g de gordura, 3 g de gordura saturada, 540 mg de sódio, 225 mg de colesterol, 8 g de fibras.

Molho holandês (imitação)

1 ovo

1 colher de sopa de margarina light

1 colher de sopa de suco de limão fresco

1/2 colher de chá de mostarda Dijon

1 pitada de pimenta malagueta moída

Misture o ovo e a margarina em um refratário. Leve ao microondas em potência baixa (20%) durante 1 minuto, mexendo na metade do tempo, até a manteiga derreter.

Despeje o suco de limão e a mostarda na mistura de ovo com margarina. Leve ao microondas em potência baixa por 3 minutos, mexendo a cada 30 segundos, até engrossar. Acrescente a pimenta.

Se a mistura coalhar, transfira para o liqüidificador e bata em baixa velocidade durante 30 segundos, até homogeneizar.

Rendimento: ***2 porções***

INFORMAÇÕES NUTRICIONAIS

Cada porção contém: 54 calorias, 4 g de proteínas, 2 g de carboidratos, 4 g de gordura, 0 g de gordura saturada, 150 mg de sódio, 5 mg de colesterol, 0 g de fibras.

ALMOÇO

Salada grega

8 folhas de alface cortada em pedaços

1 pepino descascado e sem sementes, fatiado

1 tomate picado

1/2 xícara de chá de cebola roxa picada

1/2 xícara de chá de queijo minas light em pedaços bem pequenos

2 colheres de sopa de azeite extra-virgem

2 colheres de sopa de suco de limão fresco

1 colher de chá de orégano desidratado

1/2 colher de chá de sal

Misture a alface, o pepino, o tomate, a cebola e o queijo em uma vasilha grande.

Em separado, prepare um molho com o azeite, o suco de limão, o orégano e o sal. Despeje sobre a alface e misture bem.

Esta salada é um excelente acompanhamento para frango ou peixe grelhados.

Rendimento: ***1 porção***

INFORMAÇÕES NUTRICIONAIS

Cada porção contém: 501 calorias, 22 g de proteína, 25 g de carboidratos, 38 g de gordura, 10 g de gordura saturada, 2.300 mg de sódio, 30 mg de colesterol, 6 g de fibras.

Salada grega sem sal: 1.134 mg de sódio.

Salada South Beach com Atum

Salada

1 lata de atum cozido conservado em água

1/3 xícara de chá de pepino picado

1/3 xícara de chá de tomate picado

1/3 xícara de chá de abacate picado

1/3 xícara de chá de aipo picado

1/3 xícara de chá de rabanete picado

1 xícara de chá de alface picada

Molho

4 colheres de chá de azeite extra-virgem

2 colheres de sopa de suco de limão fresco

2 dentes de alho em pedaços bem pequenos

1/2 colher de chá de pimenta-do-reino

Para a salada: Coloque o atum, o pepino, o tomate, o abacate, o aipo, o rabanete e a alface em um refratário de vidro.

Para o molho: Misture o azeite, o suco de limão, o alho, a pimenta e despeje sobre a salada.

Rendimento: ***1 porção***

INFORMAÇÕES NUTRICIONAIS

Cada porção contém: 506 calorias, 48 g de proteína, 18 g de carboidratos, 28 g de gordura, 4 g de gordura saturada, 640 mg de sódio, 50 mg de colesterol, 6 g de fibras.

Salada de frango com pistache

Salada

1/2 xícara de chá de pistaches moídos

1/2 + 1/4 colher de chá de sal

1/2 colher de chá + 1 pitada de pimenta-da-reino moída na hora

4 metades de peito de frango sem osso e sem pele

2 colheres de sopa de azeite extra-virgem

1/2 xícara de chá de cebola branca em pequenos cubos

1 pé de alface

Molho

1 colher de chá de cebola branca ralada

1 abacate grande maduro, sem semente e sem casca

3 colheres de sopa de azeite extra-virgem

3 colheres de sopa de suco de limão fresco

1 colher de sopa de água

Para a salada: Pré-aqueça o forno a 190 graus. Misture os pistaches com 1/2 colher de chá de sal e a mesma medida de pimenta em um tabuleiro. Passe os peitos de frango nos pistaches. Aqueça 1 colher de sopa do azeite em uma frigideira e cozinhe os peitos de frango, 2 minutos de cada lado. Retire-os da frigideira e coloque-os em um tabuleiro, levando ao forno durante 15 minutos. Aqueça a colher de chá restante do azeite em uma frigideira não aderente. Coloque a cebola picada, 1/4 colher de chá de sal e uma pitada de pimenta. Deixe cozinhar até a cebola ficar dourada.

Divida a alface em quatro pratos. Coloque por cima os peitos de frango assados frios. Sirva com o molho.

Para o molho: Bata no liqüidificador a cebola, o abacate, o azeite, o suco de limão e a água.

Rendimento: ***4 porções***

INFORMAÇÕES NUTRICIONAIS

Cada porção contém: 481 calorias, 33 g de proteínas, 13 g de carboidratos, 34 g de gordura, 5 g de gordura saturada, 520 mg de sódio, 70 mg de colesterol, 5 g de fibras.

Receita do menu de

1220 AT THE TIDES

1220 Ocean Drive, Miami Beach

Ceviche de tilápia

4 filés de tilápia, cortados em cubos médios

suco de 3 limões

1/4 colher de chá de pasta de alho

3 gotas de molho de pimenta

2 tomates maduros, cortados em cubos médios

1/2 cebola branca, em cubos médios

2 1/2 colheres de sopa de coentro fresco cortado

Sal

Pimenta-da-reino

Deixe o peixe em cubos de molho em 3/4 do suco de limão durante 3 horas. Escorra o líquido.

Misture o peixe com a pasta de alho, molho de pimenta, tomate, cebola, coentro e o restante do suco de limão. Tempere com sal e pimenta a gosto.

Este prato não vai ao fogo; a acidez do limão é que cozinha o peixe.

Rendimento: ***4 porções***

INFORMAÇÕES NUTRICIONAIS

Cada porção contém: 255 calorias, 35 g de proteína, 15 g de carboidratos, 2 g de gordura, 1 g de gordura saturada, 115 mg de sódio, 63 mg de colesterol, 3 g de fibras.

Salada de camarão com molho de ervas

Camarão

1 xícara de chá de vinho branco seco

1 colher de chá de sementes de mostarda

1/4 de colher de chá de pimenta-malagueta em flocos

2 folhas de louro

1 limão fatiado

700 gramas de camarão limpo, sem casca

Molho de ervas

3 colheres de sopa de azeite extra-virgem

3 colheres de sopa de vinagre de vinho tinto

2 colheres de sopa de água

2 colheres de sopa de manjericão fresco

2 colheres de sopa de dill fresco

1 colher de chá de alho amassado

1 colher de chá de mostarda Dijon

1/2 cebola média em fatias

1 alface grande

4 tomates maduros fatiados

6 cogumelos frescos fatiados

6 ramos de dill fresco (opcional)

Para o camarão: Misture o vinho, as sementes de mostarda, os flocos de pimenta, as folhas de louro e o limão em uma caçarola grande. Acrescente água até mais da metade. Leve ao fogo alto. Quando abrir fervura, acrescente o camarão e deixe cozinhar durante 3-4 minutos, ou até o camarão ficar rosado e não mais translúcido no meio. Escorra e deixe esfriar. Jogue fora as folhas de louro.

Para o molho: Em uma vasilha com tampa, misture o azeite, o vinagre de vinho tinto, a água, o manjericão, o dill, o alho, a mostarda e a cebola. Tampe e agite bem.

Coloque o camarão em um refratário grande e acrescente o molho. Misture bem, tampe e leve à geladeira.

Sirva a mistura de camarão sobre um leito de folhas de alface; enfeite com as fatias de tomate e cogumelo. Decore com os talos de dill.

Rendimento: ***4 porções***

INFORMAÇÕES NUTRICIONAIS

Cada porção contém: 382 calorias, 38 g de proteína, 16 g de carboidratos, 14 g de gordura, 2 g de gordura saturada, 310 mg de sódio, 260 mg de colesterol, 4 g de fibras.

Salada de siri

6 xícaras de chá de alface picada em pedaços grandes

1 lata de carne de siri (170 gramas) cozida, escorrida

1 xícara de chá de tomates maduros em cubos ou de tomates-cereja cortados ao meio

1 xícara de chá de blue cheese esmigalhado

2 colheres de sopa de pedaços bem pequenos de bacon frito

1/4 xícara de chá de molho com pouco açúcar ou vinagrete de azeite de oliva

Leve 2 pratos à geladeira para resfriar.
Arrume a alface no prato onde servirá a salada. Disponha o siri, os tomates, o queijo e o bacon em filas sobre a alface.
Antes de servir, salpique o molho sobre a salada e misture bem. Transfira para os dois pratos que estavam na geladeira.

Rendimento: ***2 porções***

INFORMAÇÕES NUTRICIONAIS

Cada porção contém: 267 calorias, 27 g de proteína, 12 g de carboidratos, 13 g de gordura, 4 g de gordura saturada, 1.012 mg de sódio, 95 mg de colesterol, 4 g de fibras.

Salada verde com siri

2 xícaras de chá de endívias

2 xícaras de chá de folhas de agrião

2 xícaras de chá de espinafre fresco

2 xícaras de chá de repolho roxo

1/2 xícara de castanha fatiada

1/2 xícara de chá de pimentão vermelho cortado à juliana

360 gramas de carne de siri, fresca ou em lata

Molho de mostarda do Joe (página 185)

Misture a endívia, o agrião, o espinafre, o repolho, a castanha e o pimentão em uma vasilha grande. Acrescente o siri.
Divida em 4 pratos. Salpique o Molho de mostarda do Joe.

Rendimento: ***4 porções***

INFORMAÇÕES NUTRICIONAIS

Cada porção contém: 123 calorias, 20 g de proteína, 9 g de carboidratos, 1 g de gordura, 0 g de gordura saturada, 338 mg de sódio, 76 mg de colesterol, 4 g de fibras.

Receita do menu de

CHINA GRILL

404 Washington Avenue, Miami Beach

Atum com especiarias

60 gramas de pimenta branca
60 gramas de pimenta-do-reino
60 gramas de sementes de erva-doce
60 gramas de sementes de coentro
60 gramas de cominho moído
2 filés de atum (225 gramas cada)
4 gemas de ovo
1/2 ramo de coentro
1/2 ramo de cebolinha
1/2 ramo de salsa
4 pimentas de cheiro
225 gramas de vinagre de arroz
340 ml de azeite
3 pimentas-malagueta assadas
1 pepino em fatias finas

Pré-aqueça o forno a 160 graus. Asse a pimenta branca, a pimenta-do-reino, as sementes de erva-doce e as sementes de coentro durante 15 minutos. Misture com o cominho e bata com todas as outras especiarias no liqüidificador até ficarem bem moídas.

Cubra bem o filé de atum com as especiarias torradas e cozinhe em uma panela até ficar rosado. Reserve.

Prepare um vinagrete no liqüidificador, misturando as pimentas de cheiro com 2 das gemas de ovo, o coentro, a cebolinha, a salsa e metade do vinagre.

Acrescente lentamente metade do azeite para emulsificar.

Use o liqüidificador para fazer um vinagrete de pimenta, misturando as 2 gemas de ovo restantes com o resto do vinagre de arroz e a pimenta-malagueta assada. Acrescente o azeite restante e bata.

Coloque o vinagrete de pimenta de cheiro e o vinagrete de pimenta-malagueta assada em uma travessa grande, um ao lado do outro. Fatie o atum e coloque sobre os vinagretes. Adorne com as fatias de pepino.

Rendimento: ***4 porções***

INFORMAÇÕES NUTRICIONAIS:

Cada porção contém 626 calorias, 37 g de proteína, 57 g de carboidratos, 26 g de gordura, 4 g de gorduras saturadas, 137 mg de sódio, 266 mg de colesterol, 21 g de fibras.

Salada Niçoise

220 gramas de vagem picada

220 de tomates maduros, em fatias

1 pimentão verde sem sementes, em fatias grossas

1 pepino, em fatias grossas

60 gramas de anchovas em lata, escorridas

1/2 xícara de chá de azeitonas pretas sem caroço picadas

200 gramas de atum em lata cozido e conservado em água, escorrido, em flocos

1/2 xícara de chá de castanha fatiada

4 ovos cozidos, cortados em quatro

5 colheres de sopa de azeite extra-virgem

1 colher de sopa de vinagre de vinho branco

1 dente de alho amassado

1 pitada de sal

1 pitada de pimenta-do-reino moída na hora

2 colheres de sopa de salsa picada

Cozinhe ligeiramente a vagem em água fervente e, em seguida, deixe escorrer debaixo da torneira. Seque com toalha de papel.

Misture o tomate, o pimentão e o pepino em uma saladeira grande (ou coloque-os em pilhas separadas dentro da saladeira). Arrume por cima as anchovas, as azeitonas, o atum, a castanha e os ovos.

Para preparar o molho, misture vigorosamente o azeite, o vinagre e o alho com o sal e a pimenta. Despeje o molho sobre a salada e salpique a salsinha.

Rendimento: ***4 porções***

INFORMAÇÕES NUTRICIONAIS

Cada porção contém: 405 calorias, 26 g de proteína, 14 g de carboidratos, 27 g de gordura, 5 g de gordura saturada, 1.010 mg de sódio, 240 mg de colesterol, 4 g de fibras.

Vinagrete balsâmico

1/3 xícara de chá de azeite extra-virgem

1/3 xícara de chá de vinagre balsâmico

2 colheres de chá de tomilho fresco picado

1/4 colher de chá de sal

1 pitada de pimenta branca

1 colher de sopa de manjericão fresco picado

Misture o azeite, o vinagre, o tomilho, o sal, a pimenta e o manjericão em uma vasilha com tampa. Tampe e balance bem.

Rendimento: ***2/3 de xícara de chá***

INFORMAÇÕES NUTRICIONAIS

Cada porção contém: 90 calorias, 0 g de proteína, 2 g de carboidratos, 9 g de gordura, 1 g de gordura saturada, 75 mg de sódio, 0 mg de colesterol, 0 g de fibras.

Gazpacho

2 1/2 xícaras de chá de suco de tomate ou de hortaliças

1 xícara de chá de tomate sem casca e sem semente, picado

1/2 xícara de chá de aipo picado

1/2 xícara de chá de pepino picado

1/2 xícara de chá de pimentão verde picado

1/2 xícara de chá de cebolinha verde picada

3 colheres de sopa de vinagre de vinho branco

2 colheres de sopa de azeite extra-virgem

1 dente de alho grande, amassado

2 colheres de sopa de salsa fresca picada

1/2 colher de chá de sal

1/2 colher de chá de molho inglês

1/2 colher de chá de pimenta-do-reino moída na hora

Misture todos os ingredientes em uma vasilha grande de vidro ou aço inoxidável. Tampe e leve à geladeira de um dia para o outro.
Sirva frio.

Rendimento: ***5 porções***

INFORMAÇÕES NUTRICIONAIS

Cada porção contém: 177 calorias, 2 g de proteína, 13 g de carboidratos, 6 g de gordura, 1 g de gordura saturada, 690 mg de sódio, 0 mg de colesterol, 4 g de fibras.

JANTAR

Frango no papelote

4 peitos de frango sem osso e sem pele (cerca de 1/2 quilo)

1 pitada de sal

1 pitada de pimenta-do-reino moída na hora

2 chalotas picadas

1 cenoura fatiada em diagonal

1 abobrinha pequena cortada ao meio no sentido do comprimento, e depois na largura, em pedaços de 4 cm

1 colher de chá de estragão seco

1/2 colher de chá de raspas de casca de laranja

Aqueça o forno a 200 graus (220 se for usar papel-alumínio). Corte quatro pedaços de papel-alumínio ou manteiga de 60 cm de comprimento. Dobre no meio para formar quadrados.

Tempere o peito de frango com sal e pimenta. Coloque um peito ligeiramente abaixo do meio de cada quadrado de papel.

Em uma vasilha pequena, misture as chalotas, a cenoura, a abobrinha, o estragão e a casca de laranja. Coloque 1/4 dessa mistura sobre cada peito de frango. Dobre o papel-alumínio ou manteiga sobre o frango, apertando bem as extremidades. Leve ao forno por 20 minutos em um tabuleiro.

Para abrir, antes de servir, faça um X com a tesoura em cada embrulho e rasgue o papel.

Rendimento: ***4 porções***

INFORMAÇÕES NUTRICIONAIS

Cada porção contém: 144 calorias, 27 g de proteína, 4 g de carboidratos, 2 g de gordura, 0 g de gordura saturada, 86 mg de sódio, 65 mg de colesterol, 1 g de fibras.

Frango balsâmico

6 metades de filés de frango sem osso e sem pele

1 1/2 colher de chá de folhas de alecrim fresco, picadas, ou 1/2 colher de chá de alecrim desidratado

2 dentes de alho amassados

1/2 colher de chá de pimenta-do-reino moída na hora

1/2 colher de chá de sal

2 colheres de sopa de azeite extra-virgem

4-6 colheres de sopa de vinho branco (opcional)

1/2 xícara de chá de vinagre balsâmico

Lave bem os filés. Misture o alecrim, o alho, a pimenta e o sal em uma vasilha pequena e misture bem. Coloque o frango em uma tigela grande. Salpique o azeite e esfregue a mistura de temperos. Tampe e leve à geladeira de um dia para o outro.

Pré-aqueça o forno a 230 graus. Unte um tabuleiro com margarina light. Coloque o frango no tabuleiro e leve ao forno por 10 minutos. Vire o frango. Se o caldo do frango começar a pegar no fundo do tabuleiro, acrescente 3-4 colheres de sopa de água ou vinho branco (se for usar).

Asse por uns 10 minutos. Se o tabuleiro estiver seco, regue com mais 1-2 colheres de sopa de água ou vinho branco. Salpique o vinagre sobre o frango, ainda no tabuleiro.

Transfira o frango para os pratos. Misture o líquido que sobrou no tabuleiro e despeje sobre o frango.

Rendimento: ***6 porções***

INFORMAÇÕES NUTRICIONAIS

Cada porção contém: 183 calorias, 26 g de proteína, 4 g de carboidratos, 6 g de gordura, 1 g de gordura saturada, 270 mg de sódio, 65 mg de colesterol, 0 g de fibras.

Peito de frango com gengibre

1 colher de sopa de suco de limão fresco

1 1/2 colher de chá de gengibre ralado

1/2 colher de chá de pimenta-do-reino moída na hora

2 dentes de alho

4 metades de filés de peito de frango sem osso e sem pele

Misture o suco de limão, o gengibre, a pimenta e o alho em uma vasilha pequena.

Coloque os peitos de frango em uma vasilha grande. Despeje a mistura de gengibre sobre os peitos de frango, virando uma vez para cobrir ambos os lados. Tampe e leve à geladeira de 30 minutos a 2 horas.

Unte uma frigideira com margarina light. Leve-a ao fogo médio-alto. Quando estiver quente, coloque o frango. Cozinhe, virando uma vez, até ficar macio (por cerca de 8 minutos).

Rendimento: ***4 porções***

INFORMAÇÕES NUTRICIONAIS

Cada porção contém: 129 calorias, 26 g de proteína, 1 g de carboidratos, 1 g de gordura, 0 g de gordura saturada, 75 mg de sódio, 65 mg de colesterol, 0 g de fibras.

Frango refogado saboroso

2 colheres de sopa de azeite extra-virgem

4 metades de filés de frango sem osso e sem pele

1 cebola grande fatiada

2 dentes de alho amassados

1 colher de folhas de alecrim fresco, picadas

1/2 xícara de chá de caldo de galinha sem gordura

1 pitada de sal

1 pitada de pimenta-do-reino moída na hora

Aqueça o azeite em uma frigideira grande, em fogo médio. Refogue os peitos de frango durante 4 minutos no azeite, depois vire-os de lado e acrescente a cebola. Tampe e deixe cozinhar por mais 3 minutos, mexendo de vez em quando. Acrescente o alho, o alecrim e o caldo de galinha. Tampe e cozinhe até a cebola ficar tenra (cerca de 5 minutos), mexendo de vez em quando.
Tempere com sal e pimenta.

Rendimento: ***4 porções***

INFORMAÇÕES NUTRICIONAIS

Cada porção contém: 217 calorias, 28 g de proteína, 6 g de carboidratos, 8 g de gordura, 1 g de gordura saturada, 95 mg de sódio, 65 mg de colesterol, 1 g de fibras.

Receita do menu de

TUSCAN STEAK

431 Washington Avenue, Miami Beach

T-Bone à moda florentina

1 1/2 quilo de T-Bone steak

1/3 xícara de alho amassado

1 xícara de salsa picada

1 xícara de manjericão picado

Sal

Pimenta-do-reino moída na hora

1 xícara de azeite extra-virgem

1 pitada de sal

1 pitada de pimenta-do-reino moída na hora

Tempere os filés com o alho, a salsa e o manjericão. Acrescente sal e pimenta a gosto. Acrescente o azeite e deixe marinar por 24 horas.

Quando estiver pronto para cozinhar, aqueça a grelha e asse a carne durante 1 hora em fogo médio, virando a cada 10 minutos. Enquanto isso, pré-aqueça o forno a 200 graus. Quando a carne estiver pronta, retire da grelha e deixe descansar durante 20 minutos. Leve ao forno de 10 a 30 minutos, dependendo do ponto desejado. Com uma hora na grelha e 10 minutos no forno, a carne fica ao ponto para malpassada.

Fatie a carne e derrame um pouco do marinado de azeite (que agora deve estar à temperatura ambiente).

Rendimento: ***4 porções***

INFORMAÇÕES NUTRICIONAIS:

Cada porção contém 885 calorias, 59 g de proteína, 5 g de carboidratos, 68 g de gordura, 13 g de gorduras saturadas, 170 mg de sódio, 105 mg de colesterol, 1 g de fibras.

Assado de alcatra

1 cebola roxa pequena cortada em quatro

1/2 xícara de chá de vinagre balsâmico

1/2 xícara de chá de alcaparras em conserva, escorridas

2 colheres de sopa de orégano fresco picado

3 dentes de alho amassados

700 gramas de alcatra

1 pitada de sal

1 pitada de pimenta-do-reino moída na hora

Fatie um quarto da cebola e reserve. Pique o restante. Em uma vasilha, misture a cebola com o vinagre, as alcaparras, o orégano e o alho. Acrescente 1/4 xícara de chá dessa mistura à cebola em fatias e reserve.

Tempere os dois lados da carne com sal e pimenta. Fure bastante com um garfo. Misture a carne com a mistura de cebola restante dentro de um saco plástico próprio para acondicionar alimentos. Deixe marinar por 1 hora ou de um dia para o outro.

Aqueça a grelha ou a churrasqueira, ajustando a altura das grelhas para que a frigideira onde ficará a carne não esteja muito próxima da fonte de calor. Retire a carne do marinado e coloque-a na frigideira que será levada à grelha. Jogue fora o marinado. Asse ou grelhe a carne durante 4-5 minutos de cada lado, para ficar ao ponto para malpassada. Deixe descansar durante 5 minutos antes de fatiar.

Coloque a carne fatiada em um refratário e despeje a mistura de cebola reservada por cima.

Rendimento: ***6 porções***

INFORMAÇÕES NUTRICIONAIS

Cada porção contém: 176 calorias, 19 g de proteína, 3 g de carboidratos, 9 g de gordura, 4 g de gordura saturada, 230 mg de sódio, 50 mg de colesterol, 1 g de fibras.

Rosbife de filé londrino

2 colheres de sopa de azeite extra-virgem

1/2 xícara de chá de vinho tinto seco

3 dentes de alho amassados

3 colheres de sopa de salsa fresca picada

1 colher de sopa de orégano fresco picado

1 folha de louro

1/2 colher de chá de pimenta-do-reino moída na hora

700 gramas de filé

Em uma vasilha pequena, misture o azeite, o vinho, o alho, a salsa, o orégano, o louro e a pimenta. Coloque o filé em uma vasilha funda e despeje o marinado. Vire para temperar os dois lados, tampe e leve à geladeira por no mínimo 4 horas; o ideal seria da noite para o dia.

Quando estiver pronto para servir, pré-aqueça a grelha ou a churrasqueira. Jogue fora o marinado e a folha de louro. Asse a carne durante 5 minutos de cada lado (ao ponto para malpassada).

Corte a carne em fatias finas diagonais. Sirva morna ou fria.

Rendimento: ***8 porções***

INFORMAÇÕES NUTRICIONAIS

Cada porção contém: 171 calorias, 17 g de proteína, 1 g de carboidratos, 10 g de gordura, 3 g de gordura saturada, 50 mg de sódio, 40 mg de colesterol, 0 g de fibras.

Bife grelhado com molho de tomate

2 bifes de filé (cada um com 180 gramas)

2 tomates médios em forma de pêra, cortados ao meio no sentido do comprimento

2 colheres de sopa de azeite extra-virgem

1 cebola média picada

1 dente de alho amassado

1/4 xícara de chá de manjericão fresco picado ou 2 colheres de sopa de manjericão seco

1 pitada de sal

1 pitada de pimenta-do-reino moída na hora

Ramos de manjericão (opcional)

Leve a carne à churrasqueira previamente untada. Asse, virando-a, se necessário, até que esteja amarronzada por fora. Para testar, corte uma fatia (deve levar uns 15 minutos para assar).

Enquanto isso, coloque os tomates na churrasqueira, tire o fundo e a tampa e pincele com 1 colher de sopa de azeite. Quando o fundo estiver assado (cerca de 3 minutos), vire-o e continue assando até ficar macio quando apertado com o garfo (mais uns 3 minutos).

Enquanto os tomates assam, misture o azeite restante, a cebola e o alho em uma frigideira média com cabo à prova de calor. Leve-a à churrasqueira (ou ao fogo médio-alto). Cozinhe, mexendo sempre, até a cebola ficar dourada (cerca de 10 minutos). Acrescente o manjericão.

Quando os tomates estiverem macios, acrescente-os à mistura de cebola e reserve ao lado da churrasqueira (ou tampe e deixe sobre o fogão).

Quando a carne estiver pronta, coloque-a em um refratário. Ao lado, os tomates. Tempere com sal e pimenta e decore com os ramos de manjericão.

Para servir, corte a carne em fatias bem finas. Misture o caldo da carne acumulado com o tomate, se quiser.

Rendimento: ***2 porções***

INFORMAÇÕES NUTRICIONAIS

Cada porção contém: 366 calorias, 31 g de proteína, 11 g de carboidratos, 22 g de gordura, 5 g de gordura saturada, 70 mg de sódio, 85 mg de colesterol, 3 g de fibras.

Filé apimentado ao conhaque

1 colher de sopa de pimenta-do-reino

1/2 colher de chá de alecrim seco

2 bifes grossos de filé (com 120 a 180 gramas cada)

1 colher de sopa de margarina light

1 colher de sopa de azeite extra-virgem

1/4 xícara de chá de conhaque ou vinho tinto seco

Misture a pimenta e o alecrim em uma vasilha grande. Esfregue a mistura nos dois lados da carne.

Leve ao fogo uma frigideira com a margarina e o azeite. Acrescente o bife e deixe fritar em fogo médio-alto durante 5-7 minutos.

Retire os bifes da frigideira e tampe, para mantê-los aquecidos.

Coloque o conhaque na frigideira e leve ao fogo até abrir frevura, retirando as partículas do fundo da frigideira. Deixe ferver durante 1 minuto ou até que o líquido fique reduzido à metade. Despeje o molho sobre os bifes.

Rendimento: ***2 porções***

INFORMAÇÕES NUTRICIONAIS

Cada porção contém: 322 calorias, 24 g de proteína, 3 g de carboidratos, 21 g de gordura, 6 g de gordura saturada, 55 mg de sódio, 70 mg de colesterol, 1 g de fibras.

Salmão pochê com molho de pepino ao dill

Salmão

- 2 xícaras de chá de vinho branco seco
- 2 xícaras de chá de água
- 1/2 colher de chá de caldo de galinha sem gordura
- 6 pimentas em grão
- 4 ramos de dill
- 2 folhas de louro
- 1 talo de aipo cortado
- 1 limão pequeno fatiado
- 6 filés de salmão (120 gramas cada)

Molho de pepino com dill

- 1/3 de xícara de chá de pepino sem casca e sem sementes, cortado em pedaços pequenos
- 1/3 de xícara de chá de *sour cream* ou coalhada cremosa sem gordura
- 1/3 de xícara de chá de iogurte natural desnatado
- 2 colheres de chá de dill fresco cortado
- 1 colher de chá de mostarda de Dijon
- Ramos de dill fresco (opcional)

Para o salmão: Misture o vinho, a água, os cubos de caldo de galinha, a pimenta, o dill, o louro, o aipo e o limão em uma frigideira. Leve ao fogo até abrir fervura; tampe, diminua o fogo e deixe ferver durante 10 minutos. Acrescente o salmão à mistura e cozinhe durante 10 minutos, ou até ficar bem macio.
Com uma espátula, transfira o salmão para uma travessa. Tampe e deixe esfriar totalmente. Jogue fora a mistura líquida que ficou na frigideira.
Para o molho: Misture o pepino, o *sour cream* ou a coalhada, o iogurte, o dill e a mostarda em uma vasilha média.
Na hora de servir, coloque os filés de salmão nos pratos e espalhe o molho uniformemente sobre eles. Decore com os ramos de dill, se quiser.

Rendimento: ***6 porções***

INFORMAÇÕES NUTRICIONAIS

Cada porção contém: 260 calorias, 24 g de proteína, 5 g de carboidratos, 13 g de gordura, 3 g de gordura saturada, 150 mg de sódio, 70 mg de colesterol, 0 g de fibras.

Salmão grelhado com alecrim

1/2 quilo de salmão

2 colheres de chá de azeite extra-virgem

2 colheres de chá de suco de limão fresco

1 pitada de sal

1 pitada de pimenta-do-reino moída na hora

2 dentes de alho amassados

2 colheres de chá de folhas de alecrim fresco picadas ou 1 colher de chá de alecrim seco, esmagado

Ramos de alecrim fresco (opcional)

Alcaparras (opcional)

Corte o peixe em 4 porções de igual tamanho. Misture o azeite de oliva, o suco de limão, o sal, a pimenta, o alho e o alecrim em uma vasilha. Pincele o peixe com essa mistura.

Coloque o peixe para grelhar até a carne ficar macia (aproximadamente 4-6 minutos). Se o peixe for grosso, vire-o com cuidado na metade do cozimento. Se quiser, pode grelhar também sobre o fogão; para isso, use uma frigideira especial para grelhar untada com azeite e leve ao fogo durante 4-6 minutos. Novamente, se o peixe for grosso, vire-o com cuidado na metade do cozimento.

Na hora de servir, acrescente as alcaparras e decore com os ramos de alecrim, se desejar.

Rendimento: *4 porções*

INFORMAÇÕES NUTRICIONAIS

Cada porção contém: 231 calorias, 23 g de proteína, 1 g de carboidratos, 15 g de gordura, 3 g de gordura saturada, 213 mg de sódio, 67 mg de colesterol, 0 g de fibras.

Do cardápio do

JOE'S STONE CRAB

11 Washington Avenue, Miami Beach

Salada Armand

1 ou 2 dentes de alho pequenos

1/2 colher de chá de sal

1/2 colher de chá de pimenta

1 colher de chá de maionese

1/2 xícara de suco de limão

1 colher de chá de vinagre de vinho tinto (opcional)

1/4 de xícara + 2 colheres de sopa de azeite

1 pé de alface crespa (retire as folhas mais externas, lave, seque, corte em pedaços e leve à geladeira)

1 pé de alface americana (retire as folhas mais externas, lave, seque, corte em pedaços e leve à geladeira)

1/2 xícara de salsa picada

1/2 cebola em fatias finas

1/2 xícara de queijo parmesão ralado na hora e mais um pouco para jogar por cima na hora

Pimentão verde, em fatias finas, para decorar (opcional)

Para o molho: Em uma vasilha grande para salada, amasse o alho, o sal e a pimenta, fazendo uma pasta. Acrescente a maionese, continuando a mexer até formar uma mistura homogênea. Acrescente então o suco de limão e o vinagre, se for usar. Adicione aos poucos o azeite.

Acrescente as duas alfaces, a salsa, a cebola e 1/2 xícara do parmesão. Misture. Arrume a salada em pratos individuais rasos, salpique um pouco de queijo parmesão e sirva.

Se quiser, decore com as fatias de pimentão.

No Joe's, a salada Armand é servida apenas no almoço, com *croutons* de alho. Por estarmos na Fase I, omitimos aqui os *croutons*. Se resolver visitar o famoso Joe's, peça a salada sem os *croutons*. Quanto aos caranguejos*, são ótimos em qualquer fase da dieta!

Rendimento: ***6 porções***

INFORMAÇÕES NUTRICIONAIS:
Cada porção contém 176 calorias, 4 g de proteínas, 4 g de carboidratos, 16 g de gordura, 3 g de gordura saturada, 238 mg de sódio, 6 mg de colesterol, 2 g de fibras .

* N.T. Especialidade do Joe's Stone Crab.

Pargo ou vermelho ao molho de cebola e gengibre

1/3 de xícara de chá de xerez ou vermute

3 colheres de sopa de molho de soja light

2 colheres de chá de óleo de gergelim

1/4 de xícara de chá de cebolinha verde picada

1 colher de chá de gengibre ralado na hora

1 colher de chá de alho picado

2 filés de pargo ou vermelho (1/2 quilo)

Pré-aqueça o forno a 170 graus. Misture o xerez ou vermute, o molho de soja, o óleo de gergelim, a cebola, o gengibre e o alho em uma vasilha pequena. Coloque os filés de peixe em um refratário ou em um tabuleiro. Salpique o marinado sobre o peixe e asse durante 12 minutos ou até o peixe ficar bem macio.

Rendimento: ***2 porções***

INFORMAÇÕES NUTRICIONAIS

Cada porção contém: 242 calorias, 35 g de proteína, 3 g de carboidratos, 6 g de gordura, 1 g de gordura saturada, 1.154 mg de sódio, 45 mg de colesterol, 1 g de fibras.

Espetinho de peixe

2 colheres de sopa de azeite extra-virgem

2 colheres de sopa de suco de limão fresco

1 colher de sopa de mostarda de Dijon

1/2 quilo de linguado, bacalhau, salmão ou filé de atum frescos, cortados em cubos

1/2 cebola roxa grande cortada no sentido do comprimento em 4 partes

1/2 pimentão verde sem semente e cortado em 4 fatias

1/2 pimentão vermelho sem semente e cortado em 4 fatias

4 tomates-cereja

Coloque o azeite, o suco e a mostarda em um refratário de vidro. Misture bem. Corte o peixe em 16 cubos. Coloque os pedaços de peixe no marinado. Tampe e leve à geladeira por 5-10 minutos para tomar gosto. Vire os cubos e leve à geladeira por mais 5 minutos.

Pré-aqueça a grelha. Escorra os cubos de peixe, reservando o marinado. Separe as camadas da cebola. Coloque os cubos em 4 espetos, alternando-os com a cebola, o pimentão e o tomate. Pincele-os com o marinado reservado.

Coloque os espetinhos na grelha e deixe assar por cerca de 3 minutos. Vire-os e pincele-os novamente com o marinado. Deixe assar por mais 3-4 minutos, ou até o peixe não estar mais translúcido e as hortaliças ficarem tenras.

Sirva imediatamente

Rendimento: ***4 porções***

INFORMAÇÕES NUTRICIONAIS

Cada porção contém: 216 calorias, 25 g de proteína, 6 g de carboidratos, 10 g de gordura, 1 g de gordura saturada, 158 mg de sódio, 36 mg de colesterol, 1 g de fibras.

Dourado grelhado

1/2 quilo de dourado fresco ou congelado

2 colheres de chá de azeite

2 colheres de chá de suco de limão

1/4 de colher de chá de sal

Pimenta a gosto

2 dentes de alho amassados

Alcaparras (opcional)

Corte o peixe em 4 pedaços. Pincele os dois lados do peixe com o azeite e o suco de limão. Tempere com sal e pimenta e esfregue o alho no peixe.

Leve o peixe à grelha em uma frigideira untada com azeite durante 4-6 minutos ou até o peixe ficar macio. Se o peixe for muito grosso, vire-o cuidadosamente na metade do tempo. Para ver se está assado, teste-o com um garfo.

Jogue as alcaparras por cima, se quiser.

Rendimento: ***4 porções***

INFORMAÇÕES NUTRICIONAIS

Cada porção contém: 120 calorias, 21 g de proteína, 1 g de carboidratos, 3 g de gordura, 1 g de gordura saturada, 245 mg de sódio, 83 mg de colesterol, 0 g de fibras.

Hortaliças ao forno

1 abobrinha média cortada em pedaços

1 abóbora pequena cortada em pedaços

1 pimentão vermelho médio cortado em pedaços

1 pimentão amarelo médio cortado em pedaços

1/2 quilo de aspargo fresco cortado em pedaços

1 cebola roxa

3 colheres de sopa de azeite extra-virgem

1 colher de chá de sal

1/2 colher de chá de pimenta-do-reino moída na hora

Aqueça o forno a 230 graus. Coloque a abobrinha, a abóbora, o pimentão, o aspargo. Misture o azeite, o sal e a pimenta. Espalhe em uma única camada no tabuleiro. Asse por 30 minutos, mexendo de vez em quando, até as hortaliças ficarem ligeiramente douradas e macias.

Rendimento: ***4 porções***

INFORMAÇÕES NUTRICIONAIS

Cada porção contém: 170 calorias, 5 g de proteína, 15 g de carboidratos, 11 g de gordura, 2 g de gordura saturada, 586 mg de sódio, 0 mg de colesterol, 5 g de fibras.

Berinjela com pimentão ao forno

1 berinjela sem casca, cortada ao meio e fatiada

2 pimentões vermelhos cortados em fatias grossas

1 pimentão verde cortado em fatias grossas

1 cebola fatiada

1/4 de xícara de chá de azeite extra-virgem

Manjericão fresco (opcional)

Pré-aqueça o forno a 170 graus. Coloque a berinjela, o pimentão e a cebola em um tabuleiro não-aderente. Salpique por cima o azeite. Leve ao forno durante 20 minutos, regando regularmente.
Arrume as hortaliças em uma travessa e decore com manjericão fresco, se quiser.

Rendimento: ***4 porções***

INFORMAÇÕES NUTRICIONAIS

Cada porção contém: 193 calorias, 2 g de proteína, 16 g de carboidratos, 14 g de gordura, 2 g de gordura saturada, 5 mg de sódio, 0 mg de colesterol, 5 g de fibras.

Cogumelo recheado com espinafre

300 gramas de espinafre picado

1 pitada de sal

8 cogumelos grandes

1 colher de sopa de azeite extra-virgem

Leve ao fogo 1/2 xícara de chá de água em uma caçarola média e deixe ferver. Acrescente o espinafre e o sal. Tampe e cozinhe. Lave os cogumelos. Retire o talo, corte as postas e depois pique os talos.

Aqueça o azeite em uma frigideira grande. Acrescente os talos dos cogumelos. Refogue até ficarem dourados, por cerca de 3 minutos. Retire da frigideira. Acrescente a parte de cima dos cogumelos e refogue por 4-5 minutos. Tire do fogo e transfira para uma travessa.

Escorra o espinafre. Misture os talos dos cogumelos refogados.

Com o auxílio de uma colher, coloque a mistura de espinafre dentro dos cogumelos e sirva imediatamente ou leve ao forno para mantê-los aquecidos.

Rendimento: ***8 porções***

INFORMAÇÕES NUTRICIONAIS

Cada porção contém: 33 calorias, 2 g de proteína, 3 g de carboidratos, 2 g de gordura, 0 g de gordura saturada, 74 mg de sódio, 0 mg de colesterol, 2 g de fibras.

Purê surpresa de South Beach

4 xícaras de chá de couve-flor (somente as flores)

30 gramas de manteiga light

30 ml de leite desnatado

1 pitada de sal

1 pitada de pimenta-do-reino moída na hora

Cozinhe a couve-flor no microondas ou no vapor até ficar macia. Leve ao processador até formar um purê, acrescentando a margarina e o leite. Tempere com sal e pimenta.

Rendimento: ***4 porções***

INFORMAÇÕES NUTRICIONAIS

Cada porção contém: 81 calorias, 2 g de proteína, 5 g de carboidratos, 6 g de gordura, 2 g de gordura saturada, 82 mg de sódio, 4 mg de colesterol, 3 g de fibras.

Refogado de tomate e cebola

1/2 xícara de chá de pimentão verde picado

1/4 de xícara de chá de aipo cortado

1 cebola pequena picada

1 dente de alho amassado

3 xícaras de chá de tomates sem pele, picados

1 colher de sopa de vinagre de vinho tinto

1 pitada de pimenta-do-reino moída na hora

Unte uma frigideira grande com margarina light. Leve ao fogo médio-alto até esquentar. Acrescente o pimentão, o aipo, a cebola e o alho. Refogue durante 5 minutos ou até as hortaliças estarem macias. Acrescente os tomates, o vinagre e a pimenta.
Deixe ferver. Tampe, diminua o fogo e cozinhe por 15 minutos, mexendo de vez em quando.

Rendimento: ***6 porções***

INFORMAÇÕES NUTRICIONAIS

Cada porção contém: 29 calorias, 1 g de proteína, 7 g de carboidratos, 0 g de gordura, 0 g de gordura saturada, 10 mg de sódio, 0 mg de colesterol, 1 g de fibras.

Tomate grelhado

2 tomates maduros grandes, cortados ao meio na horizontal

1 pitada de sal (opcional)

1 pitada de pimenta-do-reino moída na hora (opcional)

Coloque os tomates sobre a grelha. Salpique o sal e a pimenta, se desejar. Asse durante 7-10 minutos, ou até corar.

Rendimento: ***2 porções***

INFORMAÇÕES NUTRICIONAIS
Cada porção contém: 38 calorias, 2 g de proteína, 8 g de carboidratos, 1 g de gordura, 0 g de gordura saturada, 16 mg de sódio, 0 mg de colesterol, 2 g de fibras.

Tomate grelhado com molho pesto

3 tomates

2 dentes de alho

1 xícara de chá de folhas de manjericão fresco picadas

2 colheres de sopa de azeite extra-virgem

1/4 de xícara de chá de queijo parmesão ralado

2 colheres de sopa de pinhão (ou nozes picadas)

Corte os tomates no meio. Misture o alho, o manjericão, o azeite e o pinhão no liqüidificador ou no processador de alimentos. Bata até a mistura ficar uniforme. Coloque a mistura com uma colher sobre cada metade do tomate. Coloque os tomates na grelha e asse durante 3-5 minutos.

Rendimento: ***6 porções***

INFORMAÇÕES NUTRICIONAIS
Cada porção contém: 90 calorias, 3 g de proteína, 4 g de carboidratos, 7 g de gordura, 2 g de gordura saturada, 68 mg de sódio, 3 mg de colesterol, 1 g de fibras.

Do cardápio do

JOE'S STONE CRAB

11 Washington Avenue, Miami Beach

Molho de mostarda do Joe's

1 colher de sopa + 1/2 colher de chá de mostarda em pó

1 xícara de maionese

2 colheres de chá de molho inglês

1 colher de chá de molho de carne

1 colher de sopa de creme de leite

1 colher de sopa de leite

Sal

Coloque a mostarda em uma vasilha ou na tigela da batedeira elétrica. Acrescente a maionese e bata por 1 minuto. Acrescente o molho inglês, o molho de carne, o creme de leite, o leite e uma pitada de sal. Bata até a mistura ficar uniforme e cremosa. Se gostar do sabor de mostarda um pouco mais acentuado, misture mais 1/2 colher de chá de mostarda e bata bem. Leve à geladeira em uma vasilha tampada até a hora de servir.

Nesse restaurante, o caranguejo é servido frio e já vem partido. Vem acompanhado de pequenos recipientes de metal com molho de mostarda e manteiga derretida. Excelente opção para quem está visitando Miami Beach durante a Fase 1 da dieta!

Rendimento: ***Aproximadamente 1 xícara***

INFORMAÇÕES NUTRICIONAIS

Cada colher de sopa contém 109 calorias, 0 g de proteína, 0 g de carboidratos, 12 g de gordura, 2 g de gordura saturada, 87 mg de sódio, 6 mg de colesterol, 0 g de fibras.

Salada de repolho oriental

1/2 repolho verde pequeno picado

3 chalotas picadas

2 colheres de sopa de óleo de gergelim

2 colheres de sopa de vinagre de arroz

2 colheres de sopa de sementes de gergelim tostadas

Misture o repolho, as chalotas, o óleo e o vinagre. Leve à geladeira antes de servir.

Na hora de servir, acrescente as sementes de gergelim e misture novamente.

Rendimento: ***4 porções***

INFORMAÇÕES NUTRICIONAIS

Cada porção contém: 103 calorias, 2 g de proteína, 5 g de carboidratos, 9 g de gordura, 1 g de gordura saturada, 15 mg de sódio, 0 mg de colesterol, 2 g de fibras.

LANCHES

Hummus

1 lata (450 gramas) de grão-de-bico

2 colheres de sopa de suco de limão

1/2 xícara de chá de tahine (pasta de gergelim)

1/4 de xícara de chá de cebola cortada

3 dentes de alho picados

2 colheres de chá de azeite extra-virgem

2 colheres de chá de cominho em pó

1 pitada de pimenta-do-reino moída

1/2 colher de chá de sal

Salsa fresca picada (opcional)

Escorra o grão-de-bico, reservando 1/2 xícara de chá do líquido.

Misture o grão-de-bico, o suco de limão, o tahine, a cebola, o alho, o azeite, o cominho, a pimenta e o sal no liqüidificador ou no processador. Bata bem, acrescentando o líquido reservado se necessário para afinar a pasta.

Leve à geladeira por 3-4 horas antes de servir. Decore com salsa, se for usar.

Rendimento: ***5 porções***

INFORMAÇÕES NUTRICIONAIS

Cada porção contém: 251 calorias, 8 g de proteína, 23 g de carboidratos, 16 g de gordura, 2 g de gordura saturada, 447 mg de sódio, 0 mg de colesterol, 5 g de fibras.

Rolinhos de peru ou presunto

4 fatias de peito de peru ou de presunto

4 folhas de alface de tamanho médio

Maionese de coentro

4 chalotas

4 tiras de pimentão vermelho

Coloque 1 fatia de peru sobre uma folha de alface coberta com a Maionese de coentro. Acrescente 1 chalota e 1 tira do pimentão. Enrole, formando um charuto. Você pode substituir o peru por presunto. Pode também mergulhar o "charuto" na maionese de coentro, em vez de usá-la como recheio.

Rendimento: ***2 porções***

INFORMAÇÕES NUTRICIONAIS

Cada porção contém: 54 calorias, 10 g de proteína, 2 g de carboidratos, 1 g de gordura, 0 g de gordura saturada, 604 mg de sódio, 17 mg de colesterol, 1 g de fibras.

Maionese de coentro

3/4 de xícara de chá de maionese light

3/4 de xícara de chá de folhas de coentro

1 colher de sopa de suco de limão

1 colher de chá de molho de soja light

1 dente de alho pequeno

Coloque a maionese, o coentro, o suco de limão, o molho de soja e o alho no liqüidificador ou no processador. Bata bem.

Rendimento: ***3/4 xícara de chá***

INFORMAÇÕES NUTRICIONAIS

Cada colher de sopa contém: 36 calorias, 0 g de proteína, 3 g de carboidratos, 3 g de gordura, 1 g de gordura saturada, 104 mg de sódio, 4 mg de colesterol, 0 g de fibras.

SOBREMESAS

Creme de ricota com raspas de limão

1/2 xícara de chá de ricota light

1/4 de colher de chá de raspas de limão

1/4 de colher de chá de essência de baunilha

1 pacote de adoçante

Misture a ricota, as raspas de limão, a essência de baunilha e o adoçante em uma vasilha. Sirva gelado

Rendimento: ***1 porção***

INFORMAÇÕES NUTRICIONAIS

Cada porção contém: 178 calorias, 14 g de proteína, 7 g de carboidratos, 10 g de gordura, 6 g de gordura saturada, 155 mg de sódio, 38 mg de colesterol, 0 g de fibras.

Creme de ricota com amêndoas

1/2 xícara de chá de ricota light

1/4 de colher de chá de essência de amêndoa (ou de baunilha)

1 pacote de adoçante

1 colher de chá de amêndoas tostadas

Misture a ricota, a essência de amêndoa e o adoçante em uma vasilha. Sirva gelado e salpicado com as amêndoas tostadas.

Rendimento: ***1 porção***

INFORMAÇÕES NUTRICIONAIS

Cada porção contém: 192 calorias, 15 g de proteína, 8 g de carboidratos, 11 g de gordura, 6 g de gordura saturada, 155 mg de sódio, 38 mg de colesterol, 0 g de fibras.

Creme de ricota com baunilha

1/2 xícara de chá de ricota light

1/4 de colher de chá de essência de baunilha

1 pacote de adoçante

Misture a ricota, a essência de baunilha e o adoçante em uma vasilha. Sirva gelado

Rendimento: ***1 porção***

INFORMAÇÕES NUTRICIONAIS
Cada porção contém: 178 calorias, 14 g de proteína, 7 g de carboidratos, 10 g de gordura, 6 g de gordura saturada, 155 mg de sódio, 38 mg de colesterol, 0 g de fibras.

Creme de ricota Mocha

1/2 xícara de chá de ricota light

1/2 colher de chá de cacau em pó

1/4 de colher de chá de essência de baunilha

1 pacote de adoçante

1 pitada de café expresso

5 minichips de chocolate

Misture a ricota, o cacau em pó, a essência de baunilha e o adoçante em uma vasilha. Sirva gelado, com uma pitada de pó de café e salpicado com os minichips de chocolate.

Rendimento: ***1 porção***

INFORMAÇÕES NUTRICIONAIS
Cada porção contém: 261 calorias, 15 g de proteína, 17 g de carboidratos, 14 g de gordura, 9 g de gordura saturada, 166 mg de sódio, 42 mg de colesterol, 0 g de fibras.

FASE DOIS

Cardápios

Recomendamos que, depois de duas semanas na Fase 1, você passe à Fase 2, que constitui uma versão mais liberal da dieta. De agora em diante, você começará a reintroduzir alguns carboidratos saudáveis – frutas, pães de grãos integrais, arroz integral, massas integrais, batata-doce – em sua alimentação. Durante a Fase 2, o ritmo de emagrecimento diminui, motivo pelo qual as pessoas às vezes permanecem mais tempo na Fase 1 do que as duas semanas regulamentares. Se tiver certeza de que conseguirá seguir rigidamente a Fase 1 durante mais uma ou duas semanas, fique à vontade. Lembre-se de que as opções relativamente limitadas da Fase 1 a tornam uma escolha inadequada como uma dieta a ser seguida no longo prazo. Fique na Fase 2 até chegar ao peso almejado; em seguida, passe à Fase 3. Haverá momentos durante o regime de emagrecimento em que você terá recaídas – talvez se encha de doces durante o fim de semana ou em ocasiões festivas. Ou talvez um período de estresse intenso o faça recuperar uma parte do peso perdido. Quando isso acontecer, sugerimos que você volte à Fase 1 até perder novamente o peso desejado e entrar na linha. É exatamente assim que funciona a dieta de South Beach – com flexibilidade suficiente nas três fases para acomodar as demandas da vida real.

Dia 1

Café da manhã

1 xícara de chá de morangos frescos

Mingau de aveia (1/2 xícara de chá de aveia em flocos finos com 1 xícara de chá de leite desnatado, preparado em fogo baixo; polvilhar com canela em pó e 1 colher de sopa de nozes picadas)

Café ou chá descafeinados com leite desnatado e adoçante

Lanche

1 ovo cozido

Almoço

Salada de frango mediterrânea (página 216)

Lanche

1 pêra com 1 fatia de queijo light (Polenguinho ou Minas)

Jantar

Filé de salmão recheado com espinafre (página 231)

Miscelânea de vegetais

Salada de folhas verdes, pepino, pimentão verde e tomate-cereja

Azeite e vinagre a gosto ou 2 colheres de sopa de molho preparado sem açúcar

Sobremesa

Morangos com molho de chocolate (página 246)

Dia 2

Café da manhã

Vitamina de frutas vermelhas (200 ml de iogurte de morango desnatado, 1/2 xícara de chá de frutas vermelhas, 1/2 xícara de chá de gelo; bater bem no liqüidificador)

Café ou chá descafeinados com leite desnatado e adoçante

Lanche

1 ovo cozido

Almoço

Frango ao limão com cuscuz (página 218)

Fatias de tomate e pepino

Lanche

120 ml de iogurte desnatado, sem açúcar

Jantar

Bolo de carne (página 229)

Aspargos ou brócolis no vapor

Cogumelo refogado no azeite

Salada de tomate e cebola regada com azeite

Sobremesa

Melão fatiado com 2 colheres de sopa de ricota

Dia 3

Café da manhã

1 xícara de chá de cereal em flocos rico em fibras com 3/4 de xícara de chá de leite desnatado

1 xícara de chá de morango

Café ou chá descafeinados com leite desnatado e adoçante

Lanche

1 maçã pequena com 1 colher de sopa de pasta de amendoim

Almoço

Salada grega (página 150)

Lanche

120 ml de iogurte desnatado, sem açúcar

Jantar

Frango marinado em ervas (página 225)

Salada perfeição (página 240)

Abobrinha fatiada preparada no vapor

Sobremesa

Pêra com ricota e nozes

Dia 4

Café da manhã

1/2 grapefuit ou 1/2 lima-da-pérsia

1 torrada de pão integral com 30 gramas de queijo cheddar light; leve ao forninho até o queijo derreter

Café ou chá descafeinados com leite desnatado e adoçante

Lanche

120 ml de iogurte desnatado, sem açúcar

Almoço

Salada do chef (pelo menos 30 gramas de presunto, 30 de peito de peru e 30 de queijo suíço light sobre folhas mistas de hortaliças)

2 colheres de sopa de Vinagrete balsâmico (página 160) ou molho pronto para consumo sem açúcar

Lanche

1 maçã com 1 fatia de queijo light (Polenguinho ou Minas)

Jantar

Frango à moda asiática com hortaliças (página 227)

Salada de repolho oriental (página 186)

Sobremesa

Creme de ricota com amêndoas (página 189)

Dia 5

Café da manhã

Vitamina de frutas vermelhas (200 ml de iogurte de morango desnatado, 1/2 xícara de chá de frutas vermelhas, 1/2 xícara de chá de gelo; bater bem no liqüidificador)

Café ou chá descafeinados com leite desnatado e adoçante

Lanche

1 ovo cozido

Almoço

Sanduíche de rosbife (pelo menos 90 gramas de rosbife, alface, tomate, cebola, mostarda, 1 fatia de pão integral)

Lanche

120 ml de iogurte desnatado, sem açúcar

Jantar

Frango refogado com hortaliças (página 223)

Salada de folhas verdes, pepino, pimentão verde e tomate-cereja

Azeite e vinagre a gosto ou 2 colheres de sopa de molho pronto para consumo sem açúcar

Sobremesa

1/2 xícara de chá de pudim de baunilha diet, sem gordura, com 4 morangos fatiados

Dia 6

Café da manhã

170 ml de suco de hortaliças

1 ovo pochê

1 torrada de pão integral

Lanche

1 maçã pequena com 1 colher de sopa de pasta de amendoim

Almoço

3/4 xícara de chá de queijo cottage com 1/4 melão fatiado

4 crackers integrais

Gelatina diet

Lanche

Hummus (página 187) com hortaliças cruas

Jantar

Frango ao molho de vinho (página 224)

Abóbora à moda italiana (página 236)

Salada de rúcula, espinafre e nozes

Azeite e vinagre balsâmico a gosto ou 2 colheres de sopa de molho pronto para consumo sem açúcar

Sobremesa

Docinhos de pistaches com chocolate (página 247)

Dia 7

Café da manhã

1/4 de melão pequeno

1 torrada de pão integral com 30 gramas de queijo cheddar light; leve ao forninho até o queijo derreter

Café ou chá descafeinados com leite desnatado e adoçante

Lanche

120 ml de iogurte desnatado, sem açúcar

Almoço

Tomate recheado com salada de atum (90 gramas de atum cozido conservado em água, 1 colher de sopa de aipo picado, 1 colher de sopa de maionese), servido sobre um leito de folhas verdes

Lanche

Baba Ghannouj (página 245) com hortaliças frescas ou enrolado em uma folha de alface

Jantar

Assado de alcatra (página 168)

Vagem, feijão-manteiga e pimentão vermelho refogados no azeite

Purê surpresa de South Beach (página 182)

Salada de folhas verdes, pepino, pimentão verde e tomate-cereja

Azeite e vinagre a gosto ou 2 colheres de sopa de molho preparado sem açúcar

Sobremesa

Melão fatiado com fatias de lima

Dia 8

Café da manhã

Pôr-do-sol perfeito (página 210)

Café ou chá descafeinados com leite desnatado e adoçante

Lanche

1 ovo cozido

Almoço

Salada de frango, maçã e nozes (página 213)

Lanche

120 ml de iogurte desnatado sem açúcar

Jantar

Linguado assado com molho cremoso light (página 232)

Tomate grelhado (página 184)

Salada de alface

Azeite e vinagre balsâmico a gosto ou 2 colheres de sopa de molho pronto para salada sem açúcar

Sobremesa

Creme de ricota com raspas de limão (página 189)

Dia 9

Café da manhã

Ovos à florentina (1 ovo pochê servido sobre 1/2 xícara de chá de espinafre refogado no azeite)

Café ou chá descafeinados com leite desnatado e adoçante

Lanche

1 maçã pequena com 1 colher de sopa de pasta de amendoim

Almoço

Salada de cuscuz com tomate e manjericão (página 217)

Lanche

120 ml de iogurte desnatado sem açúcar

Jantar

Frango com molho picante (página 226)

Salada de folhas verdes, pepino, pimentão verde e tomate-cereja

2 colheres de sopa de vinagrete balsâmico ou de molho pronto para consumo sem açúcar

Sobremesa

Taças de chocolate (página 247)

Dia 10

Café da manhã

Panqueca de aveia (página 209)

Café ou chá descafeinados com leite desnatado e adoçante

Lanche

1 maçã pequena com 1 colher de sopa de pasta de amendoim

Almoço

Frango com salada de espinafre e framboesa
(sobras de peito de frango do dia 9) (página 212)

Lanche

120 ml de iogurte desnatado sem açúcar

Jantar

Carne assada com cebola (página 228)

Tomate assado com manjericão e parmesão (página 237)

Sobremesa

Morangos adoçante ou uma pequena porção de
creme chantilly congelado sem gordura

Dia 11

Café da manhã

1 xícara de chá de morangos

1 xícara de chá de flocos de cereais ricos em fibras com 3/4 de xícara de chá de leite desnatado

Café ou chá descafeinados com leite desnatado e adoçante

Lanche

1 ovo cozido

Almoço

Sanduíche de tomate e peru no pão sírio (90 gramas de peito de peru fatiado, 3 fatias de tomate, 1/2 xícara de chá de alface picada, 1 colher de chá de mostarda Dijon em 1 pão sírio integral pequeno)

Lanche

120 ml de iogurte desnatado sem açúcar

Jantar

Bacalhau em papillote (página 233)

Salada de alface

Azeite e vinagre balsâmico a gosto ou 2 colheres de sopa de molho pronto para salada sem açúcar

Sobremesa

Maçã assada

Dia 12

Café da manhã

1/2 grapefuit

1 ovo (mexido, cozido, pochê, etc)

1 torrada de pão de 7 grãos

Geléia diet

Café ou chá descafeinados com leite desnatado e adoçante

Lanche

1 fatia de queijo mussarela light

Almoço

Sopa de tomate (página 222)

Sanduíche de filé com 1 fatia de tomate e 1 fatia de cebola
em 1/2 pão sírio integral médio

Lanche

Baba Ghannouj com hortaliças cruas
ou embrulhado em uma folha de alface

Jantar

Salada de frango grelhado com molho Tzatziki (página 238)

Aspargos assados regados com azeite

Salada de folhas verdes, pepino, pimentão verde e tomate-cereja

2 colheres de sopa de vinagrete balsâmico ou de molho pronto
para consumo sem açúcar

Sobremesa

Pêra com queijo ricota e nozes

Dia 13

Café da manhã

1 xícara de chá de frutas vermelhas

1 ovo mexido com molho de tomate

Mingau de aveia (1/2 xícara de chá de aveia em flocos finos com 1 xícara de chá de leite desnatado, preparado em fogo baixo; polvilhar com canela em pó e 1 colher de sopa de nozes picadas)

Café ou chá descafeinados com leite desnatado e adoçante

Lanche

120 ml de iogurte desnatado sem açúcar

Almoço

Salada de atum (90 gramas de atum cozido e conservado em água, 1 colher de sopa de aipo picado, 1 colher de sopa de maionese, 3 fatias de tomate, 3 fatias de cebola) em um pão sírio integral pequeno

Lanche

1 porção de queijo mussarela light

Jantar

Carne assada com cebola (página 228)

Salada South Beach (página 239)

Brócolis no vapor

Sobremesa

Morangos com molho de chocolate (página 246)

Dia 14

Café da manhã

170 ml de suco de hortaliças

Ovos cozidos com lombo canadense

1 torrada de pão de 7 grãos

Café ou chá descafeinados com leite desnatado e adoçante

Lanche

120 ml de iogurte desnatado sem açúcar

Almoço

Pizza Portobello (página 219)

Lanche

1 maçã pequena com 1 fatia de queijo light (Polenguinho ou Minas)

Jantar

Salmão grelhado

Cuscuz

Salada de aspargos brancos (página 242)

Sobremesa

Morangos com creme de ricota com raspas de limão (página 189)

ALIMENTOS QUE VOCÊ PODE REINTRODUZIR NA SUA DIETA

FRUTAS
Maçã
Damasco (desidratado e fresco)
Blueberries
Melão
Cereja
Grapefruit
Uva
Kiwi
Manga
Laranja
Pêssego
Pêra
Ameixa
Morango

LATICÍNIOS
Leite (de soja, desnatado ou semidesnatado)
Iogurte
- light, com sabor de frutas
- natural desnatado

AMIDOS (USE COM MODERAÇÃO)
Pão
- de cereais
- de aveia e farelo
- de centeio
- integral

Cereais
- All Bran
- Mingau de aveia (tradicional)
- Outros cereais ricos em fibras

Muffins de farelo, sem açúcar (e sem passas)
Massas integrais
Ervilha
Pão sírio
- integral
- moído em moinho de pedra

Pipoca
Batata-doce
Arroz
- integral
- selvagem

HORTALIÇAS E LEGUMINOSAS
Cevada
Feijão-fradinho
Grão-de-bico

OUTROS
Chocolate (com moderação)
- amargo
- meio-amargo

Pudim light
Vinho tinto

O QUE VOCÊ DEVE EVITAR COMER OU COMER RARAMENTE

AMIDOS E PÃES
Pão
  trigo refinado
  branco
Biscoito
Flocos de milho
Massa de farinha branca
Arroz branco
Brioche

HORTALIÇAS
Beterraba
Cenoura
Milho
Batata

FRUTAS
Banana
Suco de frutas industrializado
Abacaxi
Uva-passa
Melancia

OUTROS
Mel
Sorvete
Geléia

FASE DOIS

Receitas

Agora que você resolveu seu problema de resistência à insulina e perdeu uns quatro quilos, está pronto para iniciar o programa de emagrecimento de longo prazo. A Fase 2 começa a reintroduzir gradualmente os carboidratos à sua dieta, começando com aqueles de baixo índice glicêmico, como mingau de aveia e pão de centeio. As receitas que você encontrará aqui ainda não contêm carboidratos com índice glicêmico alto, como batata-doce, massa de trigo integral, pães ou arroz integral; a flexibilidade da dieta lhe permitirá começar a acrescentar esses carboidratos não-processados às refeições quando você considerar apropriado. Nesta fase, as sobremesas também tornam-se mais liberais, permitindo-se, por exemplo, Morangos ao molho de chocolate.

CAFÉ DA MANHÃ

Panqueca de aveia

1/2 xícara de chá de aveia em flocos

1/4 de xícara de chá de queijo cottage (ou tofu)

4 claras de ovo

1 colher de chá de essência de baunilha

1/4 de colher de chá de canela em pó

1/4 de colher de chá de noz-moscada moída ou ralada

Bata a aveia, o queijo cottage, as claras, a baunilha, a canela e a noz-moscada no liqüidificador até obter uma mistura uniforme.
Unte uma frigideira com margarina light. Despeje a massa e cozinhe em fogo médio até os dois lados ficarem levemente tostados.
Você pode usar a cobertura dietética de sua preferência.

Rendimento: ***1 porção***

INFORMAÇÕES NUTRICIONAIS:
Cada porção contém 288 calorias, 28 g de proteína, 32 g de carboidratos, 4 g de gordura, 1 g de gordura saturada, 451 mg de sódio, 5 mg de colesterol, 5 g de fibras.

Pôr-do-sol perfeito

1 xícara de chá de morangos frescos fatiados

1 xícara de chá de iogurte de baunilha desnatado, sem açúcar

1 xícara de chá de cereal integral

Arrume as camadas de morango, iogurte e cereal em duas taças de sobremesa.

Rendimento: ***2 porções***

INFORMAÇÕES NUTRICIONAIS:
Cada porção contém 185 calorias, 8 g de proteína, 37 g de carboidratos, 1 g de gordura, 0 g de gordura saturada, 102 mg de sódio, 3 mg de colesterol, 6 g de fibras.

ALMOÇO

Salmão cozido com salada de espinafre

2 colheres de sopa de azeite extra-virgem

250 gramas de espinafre fresco limpo

1/4 de colher de chá de sal

1/4 de colher de café de pimenta-do-reino moída na hora

1/2 xícara de chá de cebola cortada

3 tomates frescos (aproximadamente 600 gramas), sem pele e sem sementes, cortados em pedaços de 1 cm

Sobras do salmão da receita Salmão pochê com molho de pepino ao dill (página 172)

1 colher de sopa de salsinha cortada (opcional)

Numa frigideira, aqueça 1 colher de sopa de azeite em fogo médio. Quando esquentar, refogue o espinafre por 1 minuto e meio. Misture o sal e a pimenta e divida o espinafre em 4 pratos.

Aqueça a outra colher de sopa de azeite na frigideira. Coloque a cebola e os tomates e cozinhe em fogo médio até a cebola ficar macia, durante uns 5-6 minutos.

Arrume o salmão no espinafre e jogue os tomates e cebolas por cima. Enfeite com salsinha, se desejar.

Rendimento: ***4 porções***

INFORMAÇÕES NUTRICIONAIS:

Cada porção contém 98 calorias, 2 g de proteína, 9 g de carboidratos, 7 g de gordura, 1 g de gordura saturada, 162 mg de sódio, 0 mg de colesterol, 2 g de fibras.

Frango com salada de espinafre e framboesa

1/4 de xícara de chá de vinagre de vinho branco

5 colheres de sopa de azeite extra-virgem

1 colher de chá de mel

1/2 colher de chá de casca de laranja ralada

1 pitada de sal

1 pitada de pimenta-do-reino moída na hora

4 filés de peito de frango sem pele (cerca de 360 gramas ao todo)

8-10 xícaras de chá de espinafre ou folhas verdes variadas

1 xícara de chá de framboesas frescas

1 mamão papaia, descascado, sem sementes e fatiado

Em um pote com tampa, coloque o vinagre, 4 colheres de sopa de azeite, o mel, as raspas de laranja, o sal e a pimenta. Tampe e misture bem. Leve à geladeira até a hora de servir.

Leve uma frigideira média ao fogo e cozinhe o frango na colher de azeite restante por 8-10 minutos ou até o frango ficar macio e não mais rosado. Vire o frango diversas vezes para dourar por igual. Retire o frango. Corte em fatias finas.

Em uma tigela grande, misture as fatias de frango ainda quentes com o espinafre ou as folhas verdes variadas. Misture bem o molho. Acrescente o molho e a framboesa à mistura. Misture levemente para o molho se espalhar. Divida em 4 pratos de salada. Arrume as fatias de papaia em cada prato.

Você pode substituir o mamão papaia por duas nectarinas médias, sem caroço e fatiadas, ou dois pêssegos, descascados, sem caroço e fatiados.

Rendimento: ***4 porções***

INFORMAÇÕES NUTRICIONAIS

Cada porção contém: 320 calorias, 22 g de proteína, 16 g de carboidratos, 19 g de gordura, 3 g de gordura saturada, 199 mg de sódio, 49 mg de colesterol, 5 g de fibras.

Salada de frango, maçã e nozes

2 filés de peito de frango cozidos, cortados em pedaços pequenos

1/2 xícara de chá de aipo cortado

3/4 de xícara de chá de maçã cortada

60 gramas de nozes picadas

1 colher de sopa de passas

1/3 de xícara de chá de molho tipo Italiano, pronto para consumo

Alface

Em uma vasilha média, misture o frango, o aipo, a maçã, as nozes e as passas. Regue a mistura com o molho e misture levemente para espalhar.
Sirva sobre um leito de alface.

Rendimento: ***2 porções***

INFORMAÇÕES NUTRICIONAIS

Cada porção contém 444 calorias, 27 g de proteína, 33 g de carboidratos, 25 g de gordura, 3 g de gordura saturada, 391 mg de sódio, 63 mg de colesterol, 8 g de fibras.

Receita do menu de

BLUE DOOR

Hotel Delano – 1685 Collins Avenue, Miami Beach

Vitela com mostarda

4 cebolas tipo chalota, cortadas

2 dentes de alho cortados

2 colheres de chá de mostarda de Dijon

2 colheres de chá de vinagre balsâmico

4 xícaras de chá de caldo de vitela ou de carne

4 tomates maduros pequenos, sem pele, sem sementes e cortados em cubinhos médios

30 gramas de grãos de mostarda

4 costeletas de vitela, com a carne cortada ao redor do osso

Sal

Pimenta-do-reino moída na hora

1/2 xícara de azeite

3 colheres de chá de manteiga

4 dentes de alho

4 galhinhos de manjericão fresco, fritos por 10 segundos

Frite metade das cebolas e o alho em fogo médio com 1 colher de manteiga até ficar translúcido, entre 20 e 30 segundos.
Acrescente a mostarda e o vinagre e cozinhe até o vinagre ter quase evaporado, mais ou menos 1 minuto.
Acrescente o caldo de vitela ou de carne e reduza à metade, mais ou menos 2 xícaras.
Frite os tomates em 2 colheres de chá de manteiga com as cebolas chalotas restantes por aproximadamente 1 minuto e meio. Acrescente os grãos de mostarda.

Passe o caldo de vitela por uma peneira e adicione aos tomates fritos. Acrescente sal e pimenta a gosto.

Tempere as costeletas de vitela com sal e pimenta. Frite as costeletas no óleo por 1 minuto e meio de cada lado ou até uma casquinha dourada aparecer. Leve ao forno por 8-12 minutos a 180° C ou até atingir o ponto desejado. Retire do forno e deixe descansar por 3-4 minutos.

Para servir, coloque uma costeleta de vitela no centro de um prato raso. Jogue 60 gramas de molho em volta e enfeite com um galhinho de manjericão.

Rendimento: ***4 porções***

INFORMAÇÕES NUTRICIONAIS

Cada porção contém: 340 calorias, 19 g de proteína, 13 g de carboidratos, 24 g de gordura, 5 g de gordura saturada, 958 mg de sódio, 56 mg de colesterol, 2 g de fibras.

Salada de frango mediterrânea

Molho

1/2 xícara de molho tipo Italiano pronto para consumo

1 colher de sopa de molho de pimenta caiena

1/2 colher de sopa de folhas de hortelã seca

1/4 de colher de sopa de mostarda em pó

Salada

1/2 quilo de peito de frango sem pele

2 colheres de sopa de azeite extra-virgem

2 xícaras de chá de sêmola de trigo duro (trigo para quibe)

1 1/2 xícara de chá de pepinos cortados em cubinhos

1 1/2 xícara de chá de tomates cortados em cubos

1 xícara de chá de cebola verde cortada

1/2 xícara de chá de salsinha fresca picada

Folhas de alface

Para o molho: Misture o molho italiano, molho de pimenta, hortelã e mostarda em pó em uma vasilha pequena. Tampe e leve à geladeira até a hora de servir.
Para a salada: Em uma frigideira média, cozinhe o frango no azeite em fogo médio por 8-10 minutos ou até o frango ficar macio e não mais rosado. Vire sempre para dourar por igual.
Retire o frango da frigideira. Corte em cubos. Deixe o frango esfriar, depois leve à geladeira até gelar.
Misture o frango com a sêmola, o pepino, o tomate, a cebola e a salsinha em um refratário. Sirva por cima da alface e regue com o molho.

Rendimento: ***6 porções***

INFORMAÇÕES NUTRICIONAIS

Cada porção contém 220 calorias, 20 g de proteína, 18 g de carboidratos, 8 g de gordura, 1 grama de gordura saturada, 279 mg de sódio, 45 mg de colesterol, 4 g de fibras.

Salada de cuscuz com tomate e manjericão

3/4 de xícara de chá de cuscuz cozido

tomate picado

1/3 de xícara de chá de grão-de-bico em lata escorrido e lavado

chalotas cortadas

1 colher de chá de azeite extra-virgem

1 colher de sopa de suco de limão

1 colher de sopa de manjericão fresco cortado

Alface

Misture o cuscuz, o tomate, o grão-de-bico, a cebolinha, o azeite, o suco de limão e o manjericão em uma tigela. Misture e sirva sobre um leito de alface.

Rendimento: ***7 porções***

INFORMAÇÕES NUTRICIONAIS

Cada porção contém 43 calorias, 2 g de proteína, 7 g de carboidratos, 1 g de gordura, 0 g de gordura saturada, 0 mg de sódio, 0 mg de colesterol, 1 g de fibras.

Frango ao limão com cuscuz

1 1/4 de xícara de chá de água

1 colher de sopa de azeite extra-virgem

2 xícaras de chá de brócolis

200 gramas de cuscuz marroquino

1 1/2 xícara de chá de frango cozido picado

Suco de 1 limão (mais ou menos 3 colheres de sopa)

1/4 de colher de chá de casca de limão

Leve a água, o azeite, o brócolis e o tempero para o cuscuz (sal, alho) ao fogo em uma caçarola larga e deixe levantar fervura. Misture o cuscuz, o frango, o suco de limão e a casca de limão. Retire do fogo. Cubra e deixe descansar por 5 minutos. Afofe levemente com um garfo.
Deixe esfriar, leve à geladeira e sirva frio.

Rendimento: ***4 porções***

INFORMAÇÕES NUTRICIONAIS

Cada porção contém 311 calorias, 24 g de proteína, 39 g de carboidratos, 7 g de gordura, 1 g de gordura saturada, 476 mg de sódio, 45 mg de colesterol, 3 g de fibras.

Pizza Portobello

1 colher de sobremesa de azeite extra-virgem

1 dente de alho picado

1 pacote (170 gramas) de cogumelos tipo Portobello, limpos

1 pitada de sal

1 pitada de pimenta-do-reino moída na hora

360 gramas de mussarela, fatiada ou ralada

10 folhas de manjericão fresco

2 tomates frescos, fatiados, assados ou grelhados

orégano (opcional)

Misture o azeite e o alho numa tigela pequena e passe a mistura por todos os lados dos cogumelos. Arrume os cogumelos, com a parte de cima virada para baixo, em forma de círculo numa assadeira untada. Tempere com sal e pimenta. Arrume a mussarela, o manjericão e as fatias de tomate alternadamente em um círculo por cima dos cogumelos. Polvilhe com o orégano (se quiser).

Asse em forno a 250 graus até o queijo derreter, aproximadamente 3 minutos.

Rendimento: ***2 porções***

INFORMAÇÕES NUTRICIONAIS

Cada porção contém 549 calorias, 36 g de proteína, 14 g de carboidratos, 40 g de gordura, 23 g de gordura saturada, 651 mg de sódio, 133 mg de colesterol, 3 g de fibras.

Receita do menu de

RUMI SUPPER CLUB

330 Lincoln Road, Miami Beach

Salada rumi com vinagrete de limão

Salada

1 beterraba

60 ml de vinagre de vinho tinto

1 pimentão vermelho

30 gramas de nozes pecã

30 gramas de azeitonas pretas

6 folhas de manjericão

1 cebolinha

Vinagrete

60 ml de suco de limão

Sal

Pimenta branca

1 ovo

1 colher de chá de mostarda Dijon

90 ml de azeite de oliva

90 ml de óleo de canola

1 endívia

30 gramas de folhas de alface crespa

1 laranja, descascada e secionada

Para a salada: Asse a beterraba até amaciar e corte em cubos. Coloque o excesso de suco de beterraba no vinagre e cozinhe para fazer um marinado de beterraba. Peneire o marinado e cubra as beterrabas cortadinhas com ela. Asse o pimentão e corte em cubos. Asse as nozes e corte-as, guardando algumas inteiras para enfeitar. Corte as azeitonas em lascas, as folhas de manjericão em tirinhas e a cebolinha bem fininha.

Para o vinagrete: Coloque o suco de limão, o sal, a pimenta, o ovo e a mostarda em um liqüidificador e misture. Acrescente o azeite e o óleo de canola devagar para criar uma emulsão.

Misture a endívia, a alface crespa, a laranja, o pimentão, as nozes, as azeitonas, o manjericão, a cebolinha e o vinagrete. Coloque um monte de beterraba em cubos (com o caldo) num prato e encime com um monte de salada temperada. Enfeite com uma noz pecã inteira.

Rendimento: ***6 porções***

> INFORMAÇÕES NUTRICIONAIS
>
> **Cada porção** contém: 338 calorias, 2 g de proteína, 9 g de carboidratos, 33 g de gordura, 4 g de gordura saturada, 120 mg de sódio, 35 mg de colesterol, 3 g de fibras.

Sopa de tomate

1 cebola pequena picada

1/4 de xícara de chá de cogumelos fatiados

90 gramas de presunto cortado em cubos

1/4 de colher de chá de azeite extra-virgem

1 dente de alho amassado

1 pitada de páprica doce

1 pitada de pimenta-da-jamaica

1 lata (430 gramas) de caldo de galinha sem gordura

1 lata (450 gramas) de grão-de-bico

3 tomates inteiros sem pele

Misture a cebola, os cogumelos, o presunto, o azeite, o alho, a páprica e a pimenta em uma panela grande. Cozinhe por 1 minuto. Acrescente o caldo de galinha, o grão-de-bico e os tomates. Tampe e cozinhe por 15 minutos. Bata a sopa no liqüidificador e sirva.

Rendimento: ***2 porções***

INFORMAÇÕES NUTRICIONAIS

Cada porção contém 404 calorias, 29 g de proteína, 58 g de carboidratos, 7 g de gordura, 2 g de gordura saturada, 1.341 mg de sódio, 25 mg de colesterol, 12 g de fibras.

JANTAR

Frango refogado com hortaliças

3 colheres de sopa de óleo de canola

250 gramas de peito de frango cozido, cortado diagonalmente em tiras

1 pacote de 300 gramas de hortaliças congeladas (brócolis, vagem, pimentão e cogumelo)

2 colheres de sopa de água

2 colheres de chá de molho de soja

1 pacote de 300 gramas de espinafre fresco

Esquente uma frigideira grande em fogo quente até que água evapore quando jogada no metal. Acrescente 1 1/2 colher de sopa do óleo e vire a panela em todas as direções até o óleo ter coberto toda a sua superfície. Quando o óleo estiver quente (não a ponto de esfumaçar), coloque as fatias de peito de frango e mexa, refogando por 2 minutos. Transfira o frango para um refratário.
Coloque o resto do óleo na frigideira. Quando estiver quente, adicione a mistura de hortaliças congeladas e mexa, fritando por aproximadamente 4 minutos, até os pedaços maiores estarem completamente cozidos. Volte o frango para a frigideira, adicione água e molho de soja e mexa, refogando por mais 2 minutos. Acrescente o espinafre. Tampe a panela e cozinhe em fogo médio por 2 minutos. Vire o espinafre uma vez para que ele aqueça por igual; tampe e cozinhe por mais 2 minutos.
Retire o frango e os vegetais com uma escumadeira. Coloque colheradas do líquido em potinhos e sirva como molho ou caldo.

Rendimento: ***4 porções***

INFORMAÇÕES NUTRICIONAIS

Cada porção contém 232 calorias, 23 g de proteína, 7 g de carboidratos, 13 g de gordura, 2 g de gordura saturada, 616 mg de sódio, 48 mg de colesterol, 4 g de fibras.

Frango ao molho de vinho

4 colheres de sopa de azeite extra-virgem

1 dente de alho amassado

3 metades de peito de frango sem osso e sem pele cortado em tiras

1 pitada de sal

1 pitada de pimenta-do-reino moída na hora

1/2 xícara de chá de vinho branco seco

3 tomates médios fatiados

Leve o azeite e o alho ao fogo médio em uma frigideira. Tempere o frango com o sal e a pimenta, depois coloque na frigideira e cozinhe por 7-10 minutos. Acrescente o vinho branco e cozinhe durante mais 2 minutos.

Transfira o frango para um prato. Cozinhe os tomates na frigideira até amaciarem. Coloque os tomates por cima do frango e cubra com o molho que ficou na panela.

Rendimento: ***4 porções***

INFORMAÇÕES NUTRICIONAIS

Cada porção contém: 190 calorias, 6 g de proteína, 5 g de carboidratos, 15 g de gordura, 2 g de gordura saturada, 117 mg de sódio, 12 mg de colesterol, 1 g de fibras.

Frango marinado em ervas

6 metades de peito de frango sem osso e sem pele

1/2 xícara de chá de vinho branco

2 colheres de sopa de azeite extra-virgem ou óleo de canola

1 colher de sopa de vinagre de vinho branco

2 colheres de chá de manjericão desidratado

1 colher de chá de orégano desidratado

1/2 colher de chá de cebola desidratada em pó

2 dentes de alho cortados

Coloque um saco plástico para guardar alimentos com fecho tipo zip-top numa tigela grande e coloque o frango dentro dele. Acrescente o vinho, o azeite ou o óleo, o vinagre, o manjericão, o orégano, a cebola em pó e o alho. Feche o saco e vire-o para os temperos cobrirem todo o frango. Deixe marinando por 5-24 horas na geladeira, virando de vez em quando.

Escorra o frango, reservando o marinado. Coloque o frango em uma grelha em uma assadeira e pincele com o marinado. Asse a uma distância de 4-5 cm do fogo por aproximadamente 20 minutos ou até estar ligeiramente dourado, pincelando sempre com o marinado. Vire o frango e asse por mais 5-15 minutos, até ficar macio e perder a cor rosada.

Rendimento: ***6 porções***

INFORMAÇÕES NUTRICIONAIS

Cada porção contém 185 calorias, 26 g de proteína, 1 g de carboidratos, 6 g de gordura, 1 g de gordura saturada, 75 mg de sódio, 66 mg de colesterol, 0 g de fibras.

Frango com molho picante

8 xícaras de chá de folhas de alface cortadas

2 colheres de sopa de chili (pimenta) em pó

1 colher de chá de cominho em pó

500 gramas de peito de frango sem pele e sem osso cortado em pedaços

2 claras de ovos grandes

2 colheres de sopa de azeite extra-virgem

240 gramas de molho de tomate espesso

1/2 xícara de chá de creme de leite light fresco

Ramos de coentro (opcional)

Divida a alface entre 4 pratos, cubra e reserve. Em uma vasilha larga, misture o chili com o cominho. Acrescente o frango, virando para temperar por completo. Tire o frango da vasilha e retire o excesso de tempero. Mergulhe o frango nas claras de ovo, depois passe novamente no restante da mistura seca. Aqueça o azeite em uma frigideira não-aderente larga em fogo médio. Quando o azeite estiver quente, coloque o frango e mexa, fritando até não estar mais rosado no meio. Corte para testar (5-7 minutos). Retire o frango da frigideira e mantenha-o aquecido. Jogue o molho na frigideira; reduza o fogo e cozinhe, mexendo, até o molho ficar totalmente aquecido e engrossar um pouco. Arrume o frango sobre a alface, colocando por cima o molho e o creme de leite fresco. Enfeite com ramos de coentro, se desejar.

Rendimento: ***4 porções***

INFORMAÇÕES NUTRICIONAIS

Cada porção contém: 266 calorias, 32 g de proteína, 12 g de carboidratos, 10 g de gordura, 2 g de gordura saturada, 457 mg de sódio, 66 mg de colesterol, 5 g de fibras.

Frango à moda asiática com hortaliças

1/2 xícara de chá de vermute ou xerez seco

3 colheres de sopa de molho de soja light

2 colheres de chá de óleo de gergelim

1/4 de xícara de chá de cebola verde cortada

1 colher de chá de gengibre fresco ralado

1 colher de chá de alho cortado fininho

4 metades de peito de frango sem pele e sem osso, cortadas em tiras

1 pimentão vermelho fatiado

1 pacote de 300 gramas de ervilha

1 pacote de 300 gramas de brócolis

1 lata de 150 gramas de castanha

Pré-aqueça o forno a 250 graus ou o grill na temperatura média-alta. Misture o xerez ou o vermute, o molho de soja, o óleo, a cebola, o gengibre e o alho em uma tigela pequena. Acrescente o frango, o pimentão, a ervilha, o brócolis e a castanha à mistura e mexa até misturar por igual.

Coloque 1/4 da mistura de frango em 4 pedaços de papel-alumínio de 30 x 45 cm. Levante os lados do papel-alumínio e dobre-os, fazendo um "pacote". Asse por 15-18 minutos em um tabuleiro no forno ou na grelha.

Rendimento: ***4 porções***

INFORMAÇÕES NUTRICIONAIS

Cada porção contém 244 calorias, 32 g de proteína, 16 g de carboidratos, 4 g de gordura, 1 g de gordura saturada, 855 mg de sódio, 66 mg de colesterol, 7 g de fibras.

Carne assada com cebola

1 colher de sopa de azeite extra-virgem

2 colheres de sopa de vinagre balsâmico

1 colher de sopa de molho inglês

1 colher de sopa de mostarda de Dijon

2 dentes de alho amassados

1/2 quilo de filé mignon

1 colher de sobremesa de pimenta-do-reino em grão

1/2 colher de chá de sal

1 xícara de chá de caldo de galinha sem gordura

1 cebola média, cortada em anéis finos

Misture o azeite, o vinagre, o molho inglês, a mostarda e o alho em um refratário que possa ir ao forno. Coloque o filé; vire para temperar por igual. Tampe; leve à geladeira por 30 minutos ou até o dia seguinte, virando uma vez.

Unte uma caçarola não-aderente com margarina light. Leve ao fogo médio-alto. Polvilhe a carne com o sal e a pimenta. Doure por 2 minutos de cada lado. Acrescente 1/2 xícara do caldo de galinha; cozinhe, virando uma vez, por 5-6 minutos por lado (se quiser malpassado). Retire o filé da panela; tampe para manter aquecido. Diminua o fogo. Acrescente as rodelas de cebola à panela e cozinhe até dourar, aproximadamente 4-5 minutos por lado. Acrescente o restante do caldo de galinha aos poucos, quando necessário, para evitar que as cebolas não grudem. Corte o filé em fatias finas; sirva com as cebolas.

Rendimento: ***4 porções***

INFORMAÇÕES NUTRICIONAIS

Cada porção contém 239 calorias, 24 g de proteína, 7 g de carboidratos, 12 g de gordura, 4 g de gordura saturada, 580 mg de sódio, 55 mg de colesterol, 1 g de fibras.

Bolo de carne

1 lata (180 gramas) de extrato de tomate sem sal
1/2 xícara de chá de vinho tinto seco
1/2 xícara de chá de água
1 dente de alho cortadinho
1/2 colher de chá de manjericão desidratado
1/4 de colher de chá de orégano desidratado
1/4 de colher de chá de sal
1/2 quilo de peito de peru
1 xícara de chá de aveia
1 ovo
1/2 xícara de chá de abobrinha ralada

Pré-aqueça o forno a 180 graus. Misture o extrato de tomate, o vinho, a água, o alho, o manjericão, o orégano e o sal em uma panela pequena. Deixe ferver, depois reduza o fogo para temperatura baixa. Cozinhe, sem tampar, por 15 minutos. Reserve.

Coloque o peru, a aveia, o ovo, a abobrinha e 1/2 xícara da mistura de tomate em uma vasilha grande. Misture bem. Dê o formato desejado e coloque numa assadeira (forma de pão) de 20 x 10 cm não-untada. Asse durante 45 minutos. Retire qualquer líquido que fique. Regue o bolo de carne com 1/2 xícara da mistura de tomate restante. Asse por mais 15 minutos.

Transfira para uma travessa. Deixe esfriar por 10 minutos antes de fatiar. Sirva o restante da mistura de tomate ao lado.

Rendimento: ***8 porções***

INFORMAÇÕES NUTRICIONAIS

Cada porção contém 188 calorias, 12 g de proteína, 12 g de carboidratos, 10 g de gordura, 3 g de gordura saturada, 244 mg de sódio, 39 mg de colesterol, 2 g de fibras.

Receita do menu de

TUSCAN STEAK

431 Washington Avenue, Miami Beach

Atum grelhado com salada de feijão branco e orégano

180 gramas de atum próprio para sushi

sal

pimenta-do-reino em grãos

1/2 de colher de chá de alho amassado

suco de 1/2 limão

60 ml de azeite de oliva

1/4 de copo de água

1 colher de chá de manjericão fresco, cortado

1/2 colher de chá de orégano desidratado

360 gramas de feijão branco cozido

1 colher de chá de salsinha

Tempere o atum com o sal e a pimenta e grelhe cada lado por 30-45 segundos. Deixe de lado para esfriar.

Misture o alho, suco de limão, azeite, água, manjericão, orégano e feijão numa vasilha fria e deixe marinar por 3 horas no refrigerador.

Para servir, leve a salada à temperatura ambiente e coloque-a no meio de uma travessa funda. Fatie o atum bem fininho e coloque em cima da mistura de feijão. Enfeite o prato com a salsinha picadinha.

Rendimento: ***4 porções***

INFORMAÇÕES NUTRICIONAIS

Cada porção contém: 299 calorias, 18 g de proteína, 23 g de carboidratos, 15 g de gordura, 2 g de gordura saturada, 19 mg de sódio, 19 mg de colesterol, 10 g de fibras.

Filé de salmão recheado com espinafre

4 filés de salmão (aproximadamente 150 gramas cada)

1 pitada de sal

1 pitada de pimenta-do-reino moída na hora

1 pacote de 300 gramas de espinafre picado

2 colheres de sopa de molho pesto pronto

1 colher de sopa de tomates secos

1 colher de sopa de pinhões

Esquente o forno a 200 graus. Faça um corte no centro de cada filé de salmão, com cuidado para não cortar totalmente. Tempere cada filé com o sal e a pimenta. Numa tigela, misture o espinafre, o pesto, o tomate seco e os pinhões. Com o auxílio de uma colher, coloque 1/3 de xícara da mistura em cada filé. Arrume os filés numa assadeira untada com margarina light. Asse por 8-10 minutos ou até a mistura de espinafre estar totalmente aquecida.

Rendimento: ***4 porções***

INFORMAÇÕES NUTRICIONAIS

Cada porção contém 329 calorias, 32 g de proteína, 4 g de carboidratos, 20 g de gordura, 4 g de gordura saturada, 213 mg de sódio, 86 mg de colesterol, 3 g de fibras.

Linguado assado com molho cremoso light

4 filés de linguado

3 colheres de sopa de manteiga light

1 xícara de chá de molho inglês

1/4 de xícara de chá de creme de leite fresco light

Coloque a manteiga em uma panela média. Misture o molho inglês, deixe ferver e reduzir levemente o molho. Acrescente o creme de leite e mantenha aquecido.

Enquanto isso, pré-aqueça o forno e coloque o peixe em uma grelha não aquecida sobre um tabuleiro. Asse por 2-6 minutos ou até ficar macio. Transfira o peixe para uma travessa e coloque colheradas do molho por cima.

Rendimento: ***4 porções***

INFORMAÇÕES NUTRICIONAIS

Cada porção contém 262 calorias, 27 g de proteína, 12 g de carboidratos, 11 g de gordura, 3 g de gordura saturada, 860 mg de sódio, 76 mg de colesterol, 0 g de fibras.

Bacalhau em papillote

2 filés de bacalhau com 2 cm de espessura (aproximadamente 600 gramas)

2 colheres de sopa de suco de limão

1 xícara de chá de cogumelos fatiados

1/2 abobrinha pequena, cortada em fatias horizontais

1/2 pimentão vermelho, pequeno, cortado em fatias horizontais

1/2 cebola pequena, fatiada

2 colheres de sopa de manteiga light

1/4 de colher de chá de folhas de estragão desidratado

1 pitada de pimenta-do-reino moída na hora

Corte dois pedaços de 60 cm de papel-manteiga e dobre cada pedaço ao meio para fazer um quadrado de 30 cm. Coloque um filé de bacalhau ligeiramente abaixo do meio de cada quadrado de papel. Regue com metade do suco de limão e acrescente os cogumelos, a abobrinha, o pimentão e a cebola. Coloque em cada um metade da manteiga. Dobre o papel por cima do peixe e feche bem. Coloque os papillotes, lado a lado, num refratário que possa ir ao microondas. Leve ao microondas, na potência alta, por 6 minutos, dando uma meia volta no pirex na metade do tempo (aos 3 minutos).

Na hora de servir, faça um X no topo de cada pacote com uma tesoura e rasgue para abrir.

Rendimento: ***2 porções***

INFORMAÇÕES NUTRICIONAIS

Cada porção contém 370 calorias, 56 g de proteína, 7 g de carboidratos, 12 g de gordura, 2 g de gordura saturada, 260 mg de sódio, 130 mg de colesterol, 2 g de fibras.

Receita do menu de

JOE'S STONE CRAB

11 Washington Avenue, Miami Beach

Camarão Louis

Para o camarão

- 400 gramas de camarão médio
- sal
- suco de uma lima pequena
- folhas de alface
- 1 xícara de chá de grão-de-bico em lata, escorrido
- 1 tomate grande maduro, sem sementes e fatiado
- 2 ovos, bem cozidos
- 2 limões cortados ao meio
- 4 azeitonas pretas maduras
- 4 fatias redondas e finas de pimentão verde

Para o molho Louis

- 1/2 xícara de chá de maionese
- 2 colheres de sopa de molho chili
- 1 colher de sopa de cebola ralada
- 1 colher de sopa de salsinha fresca picada
- sal
- pimenta
- 1 colher de sopa de creme de leite fresco grosso, mais o necessário para reduzir, se estiver muito grosso
- 1/4 de colher de chá de molho inglês ou mais
- Algumas gotas de molho Tabasco

Para o camarão: Jogue o camarão em água fervendo temperada com um pouco de sal e suco de lima. Cozinhe até estar rosado, aproximadamente 1 a 2 minutos. Escorra e esfrie um pouco, tire a casca e limpe. Coloque em uma tigela; cubra com filme plástico e esfrie.

Arrume folhas de alface cobrindo dois pratos grandes (no Joe's isso é feito em grandes pratos ovais). Coloque um monte de camarão de um lado e um monte de grão-de-bico no outro. Coloque fatias de tomate nos quatro "cantos" dos pratos. Corte os ovos no sentido do comprimento em quartos e coloque um quarto perto de cada fatia de tomate. Coloque uma metade de limão no fim de cada prato e 2 azeitonas em cima e embaixo. Coloque as rodelas de pimentão nas pontas. Cubra e esfrie, se não for servir imediatamente.

Para o molho Louis: Misture a maionese, o molho chili, a cebola ralada, a salsinha, o sal, a pimenta-do-reino, o creme, os molhos inglês e Tabasco. Mexa até misturar bem. Leve à geladeira com tampa até a hora de servir. Se estiver muito grosso, coloque um pouco mais de creme. Sirva o molho num potinho ao lado do camarão.

Esse é um prato bonito. O molho Louis pode ser usado para outros frutos do mar frios também. O molho Louis contém uma grande quantidade de maionese, mas isso não é um problema se for usado moderadamente. Não coma como sopa!

Rendimento: ***2 porções***

INFORMAÇÕES NUTRICIONAIS

Cada porção contém 867 calorias, 46 g de proteína, 40 g de carboidratos, 58 g de gordura, 10 g de gordura saturada, 1.493 mg de sódio, 501 mg de colesterol, 7 g de fibras.

Abóbora à moda italiana

1 quilo de abóbora cortada em tiras no sentido do comprimento e sem semente

2 colheres de sopa de azeite

1 cebola roxa média, cortada em fatias finas

1 abobrinha (240 gramas), cortada em cubos de 1 cm

4 tomates médios, cortados em cubos

1 pitada de sal

1 pitada de pimenta-do-reino moída na hora

1/2 xícara de chá de queijo parmesão ralado (opcional)

1 limão pequeno fatiado

Coloque as tiras da abóbora cortadas para baixo, em um refratário. Acrescente 1/4 de xícara de chá de água e cubra com filme plástico. Leve ao microondas na potência alta por 8-10 minutos até amaciar; deixe esfriar um pouco.
Enquanto isso, aqueça 1 colher de sopa de azeite em uma frigideira grande. Adicione a cebola e cozinhe em fogo médio-alto por 3 minutos até a cebola ficar transparente. Acrescente a abobrinha e cozinhe por 4-5 minutos até começar a dourar. Adicione os tomates, o sal e a pimenta. Reduza o fogo; cozinhe por 10 minutos.
Com o auxílio de um garfo, transporte a abóbora para uma vasilha. Misture com a colher de azeite restante. Coloque a abóbora no centro de 4 pratos e coloque colheradas da mistura de hortaliças em volta. Regue com mais azeite, se desejar, e enfeite com queijo parmesão, se quiser. Acrescente as rodelas de limão.

Rendimento: ***4 porções***

INFORMAÇÕES NUTRICIONAIS

Cada porção contém 190 calorias, 5 g de proteína, 28 g de carboidratos, 9 g de gordura, 1 g de gordura saturada, 199 mg de sódio, 0 mg de colesterol, 6 g de fibras.

Tomate assado com manjericão e parmesão

3 tomates maduros grandes (aproximadamente 750 gramas), cortados ao meio

1/4 de xícara de chá de ervas frescas variadas (manjericão, salsinha, manjerona)

1/2 xícara de chá de croutons

1/2 xícara de chá de queijo parmesão ralado

2 dentes de alho, cortados

1 pitada de sal

1 pitada de pimenta-do-reino moída na hora

3 colheres de sopa de azeite extra-virgem

Pré-aqueça o forno a 180 graus. Coloque os tomates em uma assadeira antiaderente, com os lados cortados para cima. Misture as ervas, os croutons, o queijo ralado, o alho, o sal, a pimenta e o azeite em uma tigela pequena. Coloque por cima de cada tomate uma porção igual da mistura.

Asse por 30 minutos ou até fazer uma casquinha. Os tomates devem estar macios, mas manter seu formato.

Rendimento: ***6 porções***

INFORMAÇÕES NUTRICIONAIS

Cada porção contém 132 calorias, 4 g de proteína, 9 g de carboidratos, 9 g de gordura, 2 g de gordura saturada, 161 mg de sódio, 5 mg de colesterol, 1 g de fibra.

Salada de frango grelhado com molho Tzatziki

Frango

30 gramas de azeite extra-virgem

2 colheres de chá de suco de limão

1 colher de chá de orégano

1 pitada de sal

1 colher de chá de pimenta-do-reino em grãos

4 metades de peito de frango sem pele e sem osso

Molho Tzatziki

1 xícara de chá de iogurte natural desnatado

2/3 de xícara de chá de pepinos, descascados, sem sementes e cortados em cubos

3/4 de colher de chá de alho amassado

20 ml de azeite extra-virgem

20 ml de vinagre branco

30 gramas de dill fresco, cortado

45 gramas de hortelã, cortada

1 pitada de sal

180 gramas de alface cortada em pedaços

1 tomate (150 gramas) cortado em cubos

Para o frango: Misture a azeite, o suco de limão, o orégano, o sal e a pimenta em um prato fundo e acrescente o frango. Leve à geladeira por 2-3 horas. Escorra o marinado e jogue-o fora.
Grelhe o frango até seu suco sair clarinho. Deixe esfriar e leve à geladeira.
Para o molho: Misture o iogurte, o pepino, o alho, o óleo, o vinagre, o dill, a hortelã e o sal. Bata no liqüidificador ou processador de alimentos até formar uma mistura homogênea. Leve à geladeira. Para servir, corte o frango em tiras compridas e arrume sobre um leito de alface. Coloque os pedaços de tomate por cima. Sirva com o molho.

Rendimento: ***4 porções***

INFORMAÇÕES NUTRICIONAIS

Cada porção contém 281 calorias, 30 g de proteína, 10 g de carboidratos, 14 g de gordura, 2 g de gordura saturada, 355 mg de sódio, 67 mg de colesterol, 1 g de fibras.

Salada South Beach

Molho vinagrete

3 colheres de sopa de azeite extra-virgem

3 colheres de sopa de óleo vegetal

3 colheres de sobremesa de vinagre de vinho

1/2 colher de chá de mostarda de Dijon

1/2 colher de chá de sal

1/2 colher de chá de pimenta-do-reino moída na hora

Salada

1 vidro (420 gramas) de palmito, escorrido e fatiado

1/2 xícara de chá de pimentão verde cortado

1/2 xícara de chá de pimentão vermelho cortado

1 lata (420 gramas) de alcachofras, escorridas e cortadas em quatro

10 azeitonas recheadas com pimentão vermelho, partidas ao meio e escorridas

1 pé de alface

2 ovos bem cozidos, cortados em quatro

12 tomates-cereja, partidos ao meio

Para o molho vinagrete: Misture a azeite, o óleo vegetal, o vinagre, a mostarda, o sal e a pimenta em um pote com tampa. Tampe bem e balance vigorosamente para misturar.

Para a salada: Misture o palmito, os pimentões, a alcachofra e as azeitonas em uma tigela. Acrescente o molho vinagrete e misture bem. Leve à geladeira por pelo menos 1 hora.

Para servir, coloque a salada sobre um leito de folhas de alface e enfeite com os ovos e os tomates-cereja.

Rendimento: ***6 porções***

INFORMAÇÕES NUTRICIONAIS

Cada porção contém 226 calorias, 7 g de proteína, 15 g de carboidratos, 17 g de gordura, 2 g de gordura saturada, 710 mg de sódio, 71 mg de colesterol, 6 g de fibras.

Salada perfeição

1 envelope de gelatina sem sabor

1/2 + 1 1/4 de xícara de chá de água

1/4 de xícara de chá de adoçante

1/4 de xícara de chá de vinagre branco

1/2 colher de chá de sal

3/4 de xícara de chá de repolho cortado fininho

1 xícara de chá de aipo cortado em cubinhos

1 pimenta-da-jamaica cortada

Em uma panela, dissolva a gelatina em 1/2 xícara de chá de água. Cozinhe em fogo baixo, mexendo bem até a gelatina dissolver. Retire do fogo. Acrescente o adoçante, o restante da água, o vinagre e o sal. Leve à geladeira até atingir a consistência de clara de ovo não batida.

Adicione o repolho, o aipo e a pimenta. Coloque em uma fôrma com capacidade para 3 xícaras ou fôrmas individuais e leve à geladeira até firmar.

Rendimento: ***6 porções***

INFORMAÇÕES NUTRICIONAIS

Cada porção contém 44 calorias, 2 g de proteína, 9 g de carboidratos, 0 g de gordura, 0 g de gordura saturada, 219 mg de sódio, 0 mg de colesterol, 1 g de fibras.

Receita do menu de

MACALUSO'S

1747 Alton Road, Miami Beach

Salada Macaluso's

2-3 meios de alface, cortados em pedaços de 2 cm

1 pimentão vermelho, cortado em pedaços de 2 cm

1 pepino fatiado fininho

1 tomate médio, cortado em oito

1/4 de xícara de chá de cebola vermelha, fatiada fininha e cortada em pedaços de 2 cm

1/4 de xícara de chá de azeite extra-virgem

1/4 de xícara de chá de vinagre de vinho tinto fino

3 colheres de chá de queijo parmesão em pedaços

sal

pimenta-do-reino moída na hora

1/4 de xícara de chá de grão-de-bico em lata

Coloque a alface, o pimentão, o pepino, o tomate e a cebola numa saladeira. Misture o azeite, o vinagre de vinho tinto, o queijo, o sal e a pimenta em jarro com tampa e balance bem. Regue a salada com o molho. Acrescente o grão-de-bico e misture bem.

Rendimento: ***2 porções***

INFORMAÇÕES NUTRICIONAIS

Cada porção contém 389 calorias, 9 g de proteína, 25 g de carboidratos, 30 g de gordura, 5 g de gordura saturada, 153 mg de sódio, 3 mg de colesterol, 9 g de fibras.

Salada de aspargos brancos

1 colher de chá de estragão fresco, cortado

1/2 xícara de chá de tomates sem semente e cortados fininho

1/3 de xícara de chá de azeite extra-virgem

1 dente de alho amassado

2 colheres de sopa de vinagre de vinho branco

Folhas de alface

1 vidro (360 gramas) de aspargos brancos, escorridos

Em uma tigela pequena, misture o estragão, os tomates, o azeite, o alho e o vinagre.

Para servir, distribua as folhas de alface em 4 pratinhos. Arrume 4-6 aspargos sobre as folhas de alface. Coloque aproximadamente 3 colheradas do molho vinagrete por cima dos aspargos em cada prato.

Rendimento: ***4 porções***

INFORMAÇÕES NUTRICIONAIS

Cada porção contém 193 calorias, 2 g de proteína, 5 g de carboidratos, 19 g de gordura, 3 g de gordura saturada, 247 mg de sódio, 0 mg de colesterol, 2 g de fibras.

Abobrinha fatiada com dill

4 abobrinhas médias (aproximadamente 750 gramas), fatiadas no sentido do comprimento

2 colheres de sopa de queijo parmesão ralado

2 colheres de sopa de dill fresco, cortado

1 colher de sopa de azeite extra-virgem

1 colher de chá de flocos de pimenta-malagueta

Ferva uma panela com água. Acrescente a abobrinha e cozinhe por 30-60 segundos, ou até amaciarem um pouco. Escorra.

Transfira a abobrinha para uma travessa. Acrescente o queijo parmesão, o dill, o azeite e a pimenta. Misture um pouco até cobrir totalmente a abobrinha com os temperos.

Rendimento: ***4 porções***

INFORMAÇÕES NUTRICIONAIS

Cada porção contém 68 calorias, 3 g de proteína, 5 g de carboidratos, 5 g de gordura, 1 g de gordura saturada, 52 mg de sódio, 2 mg de colesterol, 2 g de fibras.

Miscelânea de vegetais

1 abobrinha média cortada em pedaços

1 abóbora média cortada em pedaços

1 pimentão vermelho médio cortado em pedaços

1 pimentão amarelo médio cortado em pedaços

500 gramas de aspargos frescos cortados em pedaços

1 cebola roxa cortada em pedaços

3 colheres de sopa de azeite

1 colher de chá de sal

1/2 colher de chá de pimenta-do-reino moída na hora

Aqueça o forno a 250 graus. Em uma assadeira grande, misture a abobrinha, a abóbora, os pimentões vermelho e amarelo, o aspargo e a cebola. Acrescente o azeite, o sal e a pimenta. Misture bem. Espalhe em uma só camada.
Asse por 30 minutos, mexendo de vez em quando, até os vegetais estarem levemente dourados e macios.

Rendimento: ***4 porções***

INFORMAÇÕES NUTRICIONAIS

Cada porção contém 169 calorias, 5 g de proteína, 15 g de carboidratos, 11 g de gordura, 2 g de gordura saturada, 590 mg de sódio, 0 mg de colesterol, 5 g de fibras.

LANCHE

Baba Ghannouj

1 berinjela média descascada

1 dente de alho cortado

1 colher de sobremesa de tahine (pasta de gergelim)

1 pitada de cominho moído

Hortaliças cruas variadas

Pré-aqueça o forno. Fatie a beringela em rodelas de 1 cm. Coloque as rodelas numa assadeira e asse até ficarem macias, com gotinhas de água na superfície. Deixe esfriar e descasque as rodelas. Bata no liqüidificador ou processador junto com o alho, o tahine e o cominho.
Esfrie e sirva com vegetais.

Rendimento: ***1 porção***

INFORMAÇÕES NUTRICIONAIS

Cada porção contém 213 calorias, 8 g de proteína, 32 g de carboidratos, 9 g de gordura, 1 g de gordura saturada, 20 mg de sódio, 0 mg de colesterol, 12 g de fibras.

SOBREMESAS

Morangos com molho de chocolate

2 barras de 30 gramas de chocolate amargo ou meio-amargo picado

1/2 colher de sopa de creme chantilly

1 pitada de extrato de amêndoa

8 morangos

Misture o chocolate e o chantilly em um pote de vidro. Leve ao microondas em potência média por 1 minuto ou até o chocolate derreter, mexendo após 30 segundos. Misture o extrato de amêndoas e deixe esfriar um pouco. Mergulhe os morangos um a um no chocolate derretido, permitindo que o excesso escorra. Coloque numa assadeira coberta com papel-manteiga. Leve à geladeira ou freezer por 15 minutos até o chocolate endurecer.

Rendimento: ***2 porções***

INFORMAÇÕES NUTRICIONAIS

Cada porção contém 175 calorias, 3 g de proteína, 24 g de carboidratos, 9 g de gordura, 6 g de gordura saturada, 1 mg de sódio, 5 mg de colesterol, 4 g de fibras.

Morangos com iogurte

120 ml de iogurte natural desnatado, sem açúcar

1/2 xícara de chá de morangos cortados

Coloque colheradas de iogurte em uma vasilha de vidro e acrescente os morangos. Sirva imediatamente.

Rendimento: ***1 porção***

INFORMAÇÕES NUTRICIONAIS

Cada porção contém 85 calorias, 4 g de proteína, 16 g de carboidratos, 0 g de gordura, 0 g de gordura saturada, 66 mg de sódio, 3 mg de colesterol, 2 g de fibras.

Docinhos de pistache com chocolate

12 quadradinhos de chocolate meio-amargo

1 xícara de chá de pistaches, sem casca, torrados

Leve o chocolate ao microondas em um refratário, na potência alta, por 2 minutos, mexendo após 1 minuto. Mexa até derreter completamente. Misture os pistaches ao chocolate.

Coloque colheradas da mistura de chocolate e pistaches em uma assadeira coberta com papel-manteiga. Leve à geladeira por 1 hora até firmar. Quebre em pedacinhos.

Rendimento: ***500 gramas***

> INFORMAÇÕES NUTRICIONAIS
> **Cada porção** de 30 gramas contém 150 calorias, 3 g de proteína, 16 g de carboidratos, 10 g de gordura, 4 g de gordura saturada, 0 mg de sódio, 0 mg de colesterol, 2 g de fibras.

Taças de chocolate

1 pacote de 100 gramas de pó para pudim diet sabor baunilha

1 1/4 de xícara de chá de leite desnatado

3/4 de xícara de chá de chantilly light à temperatura ambiente

8 tacinhas de chocolate para licor

Cacau em pó

Prepare a mistura de pudim usando 1 1/4 de xícara de chá de leite. Com uma espátula de plástico, junte o chantilly. Coloque colheradas do recheio cremoso nas taças de chocolate. Salpique com cacau em pó.

Rendimento: ***8 porções***

> INFORMAÇÕES NUTRICIONAIS
> **Cada porção** contém 99 calorias, 2 g de proteína, 17 g de carboidratos, 3 g de gordura, 1 g de gordura saturada, 206 mg de sódio, 5 mg de colesterol, 0 g de fibras.

FASE TRÊS

Cardápios

A essa altura, você já deve ter chegado ao peso ideal. Se tiver seguido a dieta, sua química sangüínea também deve ter melhorado. A terceira fase tem por objetivo ajudá-lo a manter os benefícios obtidos nas Fases 1 e 2. É assim que você vai se alimentar pelo resto da vida. A Fase 3 é a mais liberal da dieta – nesse momento, deixou de ser um programa de emagrecimento para se transformar em um estilo de vida saudável. Agora, você já conhece suficientemente bem o funcionamento da Dieta de South Beach, além da interação da dieta com o seu organismo, para desfrutar toda a flexibilidade do programa. Por isso não incluí uma lista de alimentos na Fase 3. Em outras palavras, se quiser, e se isso não estragar todos os sacrifícios que você fez até agora, vá em frente. Sempre haverá ocasiões em que você comerá um pouco mais, mesmo depois de anos seguindo a dieta. Quando isso acontecer, volte à Fase 1 durante uma ou duas semanas. Quando conseguir voltar ao ponto em que estava, retorne à Fase 3. Não encare isso como uma recaída – essa dieta foi elaborada de modo a permitir que você coma o que quiser. Se isso significa exagerar na sobremesa de vez em quando, tudo bem. Siga em frente.

Dia 1

Café da manhã

1/2 grapefruit

2 quiches de hortaliças (página 148)

Mingau de aveia (1/2 xícara de chá de aveia em flocos finos com 1 xícara de chá de leite desnatado, preparado em fogo baixo; polvilhar com canela em pó e 1 colher de chá de nozes picadas)

Café ou chá descafeinados com leite desnatado e adoçante

Almoço

Wrap de rosbife (página 270)

Maçã

Jantar

Frango grelhado à moda marroquina (página 271)

Aspargos no vapor

Cuscuz

Salada mediterrânea (página 288)

Azeite e vinagre a gosto ou 2 colheres de sopa de molho pronto para consumo sem açúcar

Sobremesa

Morangos com iogurte (página 246)

Dia 2

Café da manhã

Laranja fatiada

1-2 ovos

2 fatias de lombo canadense

1 fatia de pão de cereais

Café ou chá descafeinados com leite desnatado e adoçante

Almoço

Salada South Beach com atum (página 152)

Gelatina diet

Jantar

Frango refogado com hortaliças (página 223)

Salada de repolho oriental (página 186)

Sobremesa

Creme de ricota com raspas de limão (página 189)

Dia 3

Café da manhã

1/2 grapefruit ou 1/2 lima-da-pérsia

Omelete de claras com salsa

1 fatia de pão de cereais

Café ou chá descafeinados com leite desnatado e adoçante

Almoço

Sanduíche de presunto e queijo suíço no pão de centeio

1 maçã

Jantar

Filé grelhado

Creme de espinafre (página 284)

Purê surpresa de South Beach (página 182)

Salada de tomate com mussarela (página 285)

Sobremesa

Damascos ao molho de chocolate (página 294)

Dia 4

Café da manhã

1/2 grapefruit ou 1/2 lima-da-pérsia

Mingau de aveia (1/2 xícara de chá de aveia em flocos finos com 1 xícara de chá de leite desnatado, preparado em fogo baixo; polvilhar com canela em pó e 1 colher de chá de nozes picadas)

1 ovo pochê

1 fatia de pão de cereais

1 colher de sopa de geléia de frutas diet

Café ou chá descafeinados com leite desnatado e adoçante

Almoço

Tomate recheado com salada de frango

Melão fatiado

120 ml de iogurte desnatado light

Jantar

Vermelho à provençal (página 280)

Ervilhas ao vapor

Arroz integral

Salada verde com pepino, pimentão e tomate-cereja

Azeite e vinagre a gosto ou 2 colheres de sopa de molho pronto para consumo sem açúcar

Sobremesa

Pêras recheadas com chocolate (página 294)

Dia 5

Café da manhã

1/2 grapefruit

Omelete de pimentão e chalotas (página 147)

1 torrada de pão integral

Café ou chá descafeinados com leite desnatado e adoçante

Almoço

Salada grega (página 151)

120 ml de iogurte de frutas vermelhas diet

Jantar

Espetinhos de carne, pimentão e cogumelo (página 279)

Arroz integral

Salada de abacate e tomate

Azeite e vinagre a gosto

Sobremesa

Creme de ricota com amêndoas (página 189)

Dia 6

Café da manhã

Frutas vermelhas frescas

Surpresa de canela (página 265)

Café ou chá descafeinados com leite desnatado e adoçante

Almoço

Salada Caesar com frango (sem croutons)

2 colheres de sopa de molho tipo Caesar pronto para consumo

Jantar

Camarão saboroso com arroz selvagem (página 283)

Salada de rúcula

2 colheres de sopa de vinagrete balsâmico (página 161) ou molho pronto para consumo sem açúcar

Sobremesa

Fondue de chocolate com morangos frescos

Dia 7

Café da manhã

Laranja fatiada

Fritada de tomate e ervas (página 264)

1 torrada de pão de cereais

1 colher de sopa de geléia de frutas sem açúcar

Café ou chá descafeinados com leite desnatado e adoçante

Almoço

Salada de atum, pepino e pimentão vermelho com molho de limão ao dill (página 269)

Gelatina diet com sabor

Jantar

Frango caipira glaçado no damasco (página 277)

Cuscuz

Salada de alface

Azeite e vinagre balsâmico a gosto ou 2 colheres de sopa de molho pronto para consumo sem açúcar

Sobremesa

Pão-de-ló de chocolate (página 293)

Dia 8

Café da manhã

170 ml de suco de hortaliças

1-2 ovos

1 fatia de lombo canadense

1 torrada de pão integral

1 colher de chá de geléia de frutas diet

Café ou chá descafeinados com leite desnatado e adoçante

Almoço

Salada de frango grelhado

2 colheres de sopa de vinagrete balsâmico ou de molho pronto para consumo sem açúcar

Jantar

Medalhão grelhado ao alecrim (página 278)

Vagens ao vapor

Tomate assado com manjericão e parmesão (página 237)

Salada de rúcula e agrião (página 286)

2 colheres de sopa de vinagrete balsâmico ou de molho pronto para consumo sem açúcar

Sobremesa

Morangos e frutas vermelhas em taças de chocolate (página 247)

Dia 9

Café da manhã

Laranja fatiada

2 quiches de hortaliças (página 148)

1 torrada de pão de cereais

Café ou chá descafeinados com leite desnatado e adoçante

Almoço

Salada de cuscuz com molho de iogurte picante (página 267)

Nectarina

Jantar

Peixe no limão (página 281)

Abobrinha fatiada com dill (página 243)

Tomates em fatias

Melão fatiado

Sobremesa

Morangos no vinagre balsâmico (página 290)

Dia 10

Café da manhã

1/2 grapefruit ou 1/2 lima-da-pérsia

Panqueca de aveia (página 209)

Café ou chá descafeinados com leite desnatado e adoçante

Almoço

Sanduíche aberto de rosbife (90 g de rosbife, alface, tomate, cebola, mostarda, 1 fatia de pão integral

1 maçã pequena

Jantar

Peito de frango assado

Abóbora à moda italiana (página 236)

Salada de folhas verdes, pepino, pimentão verde e tomate-cereja

Molho italiano pronto para consumo sem açúcar

Sobremesa

Nectarinas fatiadas e frutas vermelhas com 120 ml de iogurte de baunilha desnatado sem açúcar

Dia 11

Café da manhã

Vitamina de frutas vermelhas (200 ml de iogurte desnatado sem açúcar, com sabor de frutas, 1/2 xícara de chá de frutas vermelhas, 1/2 xícara de chá de gelo; bater até ficar cremoso)

Café ou chá descafeinados com leite desnatado e adoçante

Almoço

Salada de endívias com nozes pecã (página 266)

Sanduíche de peru com tomate no pão sírio (90 g de peito de peru fatiado, 3 fatias de tomate, 1/2 xícara de chá de alface cortada, 1 colher de sopa de mostarda Dijon no pão sírio integral)

120 ml de iogurte de limão desnatado sem açúcar

Jantar

Rosbife de filé londrino (página 169)

Aspargo e pimentão grelhados

Batata assada com ervas

Salada de folhas verdes, pepino, pimentão e tomate-cereja

Azeite e vinagre a gosto ou 2 colheres de sopa de molho pronto para consumo sem açúcar

Sobremesa

Cheesecake de lima (página 292)

Dia 12

Café da manhã

1/2 grapefruit ou 1/2 lima-da-pérsia

2 ovos mexidos com queijo mussarela ralado e salsa

1 torrada de pão integral

Café ou chá descafeinados com leite desnatado e adoçante

Almoço

Wrap de rosbife (feito com as sobras do jantar do dia 11) (página 270)

Nectarina

Jantar

Salmão grelhado com molho de tomate

Aspargos grelhados

Salada de folhas verdes, pepino, pimentão verde e tomate-cereja

Azeite e vinagre a gosto ou 2 colheres de sopa de molho pronto para consumo sem açúcar

Sobremesa

Damascos ao molho de chocolate (página 294)

Dia 13

Café da manhã

1/2 grapefruit ou 1/2 lima-da-pérsia

Fritada light de espinafre com molho de tomate (página 144)

Café ou chá descafeinados com leite desnatado e adoçante

Almoço

Pimentão vermelho recheado com queijo cottage e hortaliças picadas

Melão fatiado com frutas vermelhas

Jantar

Frango caipira à moda Tandoori (página 275)

Salada de endívias com nozes pecã (página 266)

Cuscuz

Hummus (página 187) com torradas de pão sírio e hortaliças frescas (pode-se usar hummus comprado pronto)

Sobremesa

Pêra cozida em vinho tinto seco

Dia 14

Café da manhã

Panqueca de South Beach (1 ovo batido com 1/3 de xícara de chá de queijo esfarelado e adoçante a gosto, preparada em uma frigideira não-aderente própria para omeletes)

Café ou chá descafeinados com leite desnatado e adoçante

Almoço

Salada do chef (pelo menos 30 g de presunto, 30 g de peito de peru e 30 g de queijo suíço light sobre folhas mistas)

Azeite e vinagre a gosto ou 2 colheres de sopa de molho pronto para consumo sem açúcar

1 fatia de pão integral

Jantar

Peixe assado com molho de lima (página 282)

Tomate grelhado com molho pesto (página 184)

Couve-de-bruxelas no vapor

Salada de alcachofras (alcachofras cozidas e levadas à geladeira com tomates-cereja cortados ao meio e chalotas picadas)

2 colheres de sopa de vinagrete balsâmico ou de molho pronto para consumo sem açúcar

Sobremesa

Morangos com molho de chocolate (página 246)

FASE TRÊS
Receitas

Depois de ter alcançado seu objetivo, você poderá adotar essas receitas, que agora incluem alimentos como pães de grãos integrais, batata-doce e arroz integral. A essa altura, você saberá que carboidratos pode comer sem engordar, pois os terá integrado a sua dieta. Você vai observar também que, durante esta fase, eliminamos os dois lanches – o da manhã e o da tarde –, pois, a essa altura, você não precisa mais deles para matar a fome entre uma refeição e outra. Mas terá uma compensação: o pão-de-ló de chocolate. Uma bela troca, não?

CAFÉ DA MANHÃ

Fritada de tomate e ervas

1/2 xícara de chá de tomate picado

1/4 de xícara de chá de chalota picada

3 folhas de manjericão picadas

1 colher de sopa de margarina light

1-2 ovos

Unte uma frigideira que possa ir ao forno com margarina light e leve ao fogo médio. Refogue o tomate, a chalota e o manjericão na margarina até que fiquem macios. Reduza o fogo. Bata os ovos e despeje uniformemente sobre as hortaliças. Tampe e deixe cozinhar por 5-6 minutos ou até a parte de baixo estar cozida.

Transfira a frigideira para o forno e deixe assar por cima durante 2-3 minutos. Coloque em uma travessa e corte em fatias antes de servir.

Rendimento: ***2 porções***

INFORMAÇÕES NUTRICIONAIS

Cada porção contém: 169 calorias, 16 g de proteína, 5 g de carboidratos, 9 g de gordura, 2 g de gordura saturada, 278 mg de sódio, 1 mg de colesterol, 1 g de fibras.

Surpresa de canela

1/4 de xícara de chá de queijo cottage

1 fatia de pão de forma de sete grãos

1 pitada de canela

Espalhe o queijo cottage sobre a fatia de pão. Salpique a canela e leve ao forno durante 2-3 minutos.

Rendimento: ***1 porção***

INFORMAÇÕES NUTRICIONAIS

Cada porção contém: 87 calorias, 9 g de proteína, 12 g de carboidratos, 1 g de gordura, 0 g de gordura saturada, 347 mg de sódio, 5 mg de colesterol, 3 g de fibras.

ALMOÇO

Salada de endívias com nozes pecã

3 xícaras de chá de alface

1 cebola fatiada

3 xícaras de chá de endívias

1 pitada de pimenta-do-reino moída na hora

3/4 de xícara de chá de nozes pecã torradas picadas

1/4 de xícara de chá de vinagre de vinho tinto

1 pitada de sal

Misture a alface, a cebola, as endívias e a pimenta em uma vasilha grande e reserve. Acrescente as nozes, o vinagre e o sal em uma frigideira e tampe, levando ao fogo baixo até aquecer. Derrame sobre a salada e misture delicadamente.

Rendimento: ***6 porções***

INFORMAÇÕES NUTRICIONAIS

Cada porção contém: 118 calorias, 2 g de proteína, 7 g de carboidratos, 10 g de gordura, 1 g de gordura saturada, 101 mg de sódio, 0 mg de colesterol, 3 g de fibras.

Salada de cuscuz com molho de iogurte picante

Cuscuz

1 colher de sopa de azeite extra-virgem

1 cebola pequena cortada

1 talo de aipo pequeno cortado

1 xícara de chá de cuscuz

1 1/2 xícara de água

Molho de iogurte picante

3 colheres de sopa de suco de limão

3 colheres de sopa de iogurte natural desnatado

1 colher de sopa de azeite extra-virgem

2 colheres de chá de gengibre fresco picado

1 dente de alho amassado

1 colher de chá de cominho moído

1 colher de chá de coentro moído

1 pitada de pimenta-do-reino moída na hora

Salada

1/2 xícara de chá de passas

1/2 xícara de chá de grão-de-bico em lata, lavado e escorrido

1/2 xícara de chá de pimentão vermelho picado

1/2 xícara de chá de pimentão verde picado

1/2 xícara de chá de coentro ou salsa fresca picada

1/2 xícara de chá de chalotas médias fatiadas

1 limão fatiado (opcional)

Para o cuscuz: Aqueça o azeite em uma caçarola média, em fogo médio. Acrescente a cebola e o aipo e cozinhe por 2-3 minutos, mexendo de vez em quando, até que as hortaliças fiquem tenras. Misture o cuscuz, regando com azeite. Cozinhe e mexa durante 1 minuto, até ficar ligeiramente torrado. Acrescente a água e deixe levantar fervura, mexendo delicadamente. Tire do fogo. Deixe descansar, tampado, durante 30 minutos, até esfriar e o líquido ser absorvido, destampando de vez em quando para afofar com um garfo.

Para o molho de iogurte picante: Misture o suco de limão, o iogurte, o azeite, o gengibre, o alho, o cominho, o coentro e a pimenta em uma vasilha grande. Bata levemente antes de servir.

Para a salada: Transfira o cuscuz para um refratário grande. Acrescente as passas, o grão-de-bico, o pimentão vermelho e o verde, o coentro ou a salsa e as chalotas ao cuscuz separadamente. Adicione o molho. Misture os ingredientes na mesa. Decore com as fatias de limão, se for usar.

Rendimento: ***4 porções***

INFORMAÇÕES NUTRICIONAIS

Cada porção contém: 393 calorias, 12 g de proteína, 69 g de carboidratos, 9 g de gordura, 1 g de gordura saturada, 31 mg de sódio, 1 mg de colesterol, 8 g de fibras.

Salada de atum, pepino e pimentão vermelho com molho de limão ao dill

Molho de limão ao dill

1/4 de xícara de chá de azeite extra-virgem

3 colheres de sopa de suco de limão

1-2 colheres de sopa de dill fresco picado

1/2 colher de chá de sal

1/2 colher de chá de pimenta-do-reino moída na hora

Salada

2 pepinos médios picados

1 pimentão vermelho picado

2 latas de atum cozido, conservado em água

Alface

1 limão pequeno sem casca e sem sementes, fatiado

Para o molho de limão ao dill: Bata levemente o azeite, o suco de limão, o dill, o sal e a pimenta-do-reino em uma vasilha pequena.

Para a salada: Misture o pepino, o pimentão e o atum em uma vasilha grande. Reserve. Arrume a alface em 4 pratos. Com o auxílio de uma colher, coloque a mistura de atum no centro de cada prato. Disponha o limão ao redor dos pratos. Regue com o molho.

Rendimento: ***4 porções***

INFORMAÇÕES NUTRICIONAIS

Cada porção contém: 282 calorias, 24 g de proteína, 9 g de carboidratos, 17 g de gordura, 3 g de gordura saturada, 640 mg de sódio, 39 mg de colesterol, 2 g de fibras.

Wrap de rosbife

1/4 de xícara de chá de requeijão light

4 tortillas de trigo ou pão sírio integral

1/2 cebola roxa fatiada

4 folhas de espinafre lavadas

225 gramas de rosbife fatiado

Passe uma pequena quantidade do requeijão sobre a superfície de cada tortilla. Acrescente a cebola, o espinafre e o rosbife. Enrole cada tortilla como se fosse uma panqueca.

Rendimento: ***4 porções***

INFORMAÇÕES NUTRICIONAIS

Cada porção contém: 300 calorias, 13 g de proteína, 42 g de carboidratos, 9 g de gordura, 3 g de gordura saturada, 659 mg de sódio, 21 mg de colesterol, 3 g de fibras.

JANTAR

Frango grelhado à moda marroquina

1/4 de xícara de chá de azeite extra-virgem

1 colher de chá de orégano

1/2 colher de chá de pimenta-da-jamaica moída

1/2 colher de chá de cominho moído

1/2 colher de chá de cravo-da-índia moído

3 dentes de alho amassados

4 filés de peito de frango sem pele

200 gramas de cuscuz

Molho de pimenta-da-jamaica (página 274)

Misture o azeite, o orégano, a pimenta-da-jamaica, o cominho, o cravo e o alho em uma vasilha grande. Coloque dentro os peitos de frango e cubra com a mistura. Leve à grelha pré-aquecida em temperatura média durante cerca de 30 minutos, ou até o caldo do cozimento ficar claro ao se furar o frango com o garfo. Retire da grelha e mantenha aquecido.

Enquanto isso, prepare o cuscuz de acordo com as instruções da embalagem. Quando estiver pronto, divida-o em 4 pratos. Corte fatias finas do frango e coloque sobre o cuscuz em cada prato. Despeje 2 colheres de sopa do molho sobre cada peito de frango.

Rendimento: ***4 porções***

INFORMAÇÕES NUTRICIONAIS

Cada porção contém: 429 calorias, 32 g de proteína, 37 g de carboidratos, 16 g de gordura, 2 g de gordura saturada, 89 mg de sódio, 66 mg de colesterol, 4 g de fibras.

Receita do menu de

RUMI SUPPER CLUB

330 Lincoln Road, Miami Beach

Frango assado com alho, cebola e laranja

1 frango de aproximadamente 1,5 quilo

1/2 xícara de dentes de alho inteiros, sem casca

1 xícara + 3 colheres de sopa de azeite

1 ramo de salsa

casca de 1 laranja

casca de 1 lima

500 gramas de aipim, sem casca

2 cebolas em fatias bem finas

50 ml de suco de laranja

50 ml de suco de limão

1 xícara de chá de caldo de galinha

Corte o frango ao meio e tire os ossos. Coloque o alho em 1/4 de xícara de chá de óleo e refogue. Quando o alho esfriar, misture a metade com a salsa, a casca de laranja, a casca de limão e os 3/4 de xícara restantes do azeite. Esfregue essa mistura no frango e deixe marinar na geladeira por um dia.

Cozinhe o aipim em água salgada até ficar macio e escorra. Cozinhe a cebola lentamente com um pouco de água até ficar macia. Reserve.

Leve os sucos de laranja e de limão ao fogo baixo e cozinhe até formar um xarope. Acrescente o caldo de galinha e deixe engrossar. Reserve.

Leve o frango ao forno e asse durante 45 minutos, até que o caldo saia claro quando espetar a carne com um garfo. Refogue o aipim e as 3 colheres de sopa restantes do azeite até ficar crocante. Acrescente as cebolas e o confit de alho reservado.

Escorra bem a mistura de aipim e coloque sobre um prato com o frango. Regue com a mistura de laranja e limão.

Ao preparar o aipim, use o óleo com parcimônia para dar sabor ao alimento e, ao mesmo tempo, manter ou perder peso. Lembre-se, refogue, não frite!

Rendimento: *6 porções*

INFORMAÇÕES NUTRICIONAIS

Cada porção contém: 630 calorias, 25 g de proteína, 50 g de carboidratos, 37 g de gordura, 8 g de gordura saturada, 240 mg de sódio, 85 mg de colesterol, 4 g de fibras.

Molho de pimenta-da-jamaica

1/2 xícara de chá de pimenta-da-jamaica em lata

2 colheres de sopa de suco de limão

Escorra a pimenta-da-jamaica e junte com o suco de limão no processador de alimentos. Bata durante 30-45 segundos ou até o molho ficar bem misturado. Transfira para um recipiente com tampa. Sirva à temperatura ambiente.

Rendimento: ***8 colheres de sopa***

INFORMAÇÕES NUTRICIONAIS

Cada porção contém: 10 calorias, 0 g de proteína, 2 g de carboidratos, 0 g de gordura, 0 g de gordura saturada, 4 mg de sódio, 0 mg de colesterol, 0 g de fibras.

Frango caipira à moda Tandoori

3 frangos caipiras de aproximadamente 1/2 quilo cada
1 1/2 colher de chá de pimenta chili (em pó)
1/2 colher de sal (opcional)
1 pitada de pimenta-do-reino moída na hora
3 colheres de sopa de suco de limão
1 xícara de iogurte natural desnatado
3 dentes de alho amassados
2,5 cm de gengibre picado
1 cebola pequena picada
1 colher de chá de sementes de cominho
1/2 colher de chá de açafrão
1 limão fatiado (opcional)
Ramos de coentro e salsa fresca (opcional)

Lave os frangos, retire os miúdos e o pescoço e seque levemente. Faça vários talhos na pele e abra-os ao meio, na vertical.
Misture 1 colher de chá de chili em pó, o sal, a pimenta e o suco de limão. Esfregue a mistura na ave e deixe descansar no tempero durante uns 15 minutos. Leve ao liqüidificador o iogurte, o alho, o gengibre, a cebola, o cominho, o açafrão, a 1/2 colher restante de chili e bata. Coloque os pedaços da ave em uma vasilha e acrescente a mistura de iogurte. Envolva bem todas as partes na mistura. Tampe e leve à geladeira durante pelo menos 8 horas, virando de vez em quando.
Pré-aqueça o forno a 200 graus. Coloque os frangos, com a pele para cima, em um tabuleiro. Regue com a mistura de iogurte de tempos em tempos até estarem inteiramente assados, durante 45-60 minutos, ou até ficarem macios. Para ver se a carne está assada, fure a pele da coxa; se sair um caldo claro, estará pronto. Sirva quente.

Antes de comer, retire a pele e guarneça com as fatias de limão, ou, se desejar, folhas de coentro ou salsa.

Rendimento: ***6 porções***

INFORMAÇÕES NUTRICIONAIS

Cada porção contém: 150 calorias, 22 g de proteína, 8 g de carboidratos, 4 g de gordura, 1 g de gordura saturada, 100 mg de sódio, 90 mg de colesterol, 1 g de fibras.

Frango caipira glaçado no damasco

1 xícara de chá de geléia de damasco diet

1/3 de xícara de chá de suco de laranja feito na hora

1/4 de xícara de chá de margarina light

4 frangos caipiras descongelados

1 pitada de sal

1 pitada de pimenta-do-reino moída na hora

Misture a geléia com o suco de laranja e a manteiga para fazer o glacê. Lave os frangos e seque levemente. Esfregue o sal e a pimenta por dentro. Coloque os frangos, com o peito para cima, em um tabuleiro, bem separados uns dos outros. Despeje o glacê. Asse por 1 hora em forno médio, pincelando com o glacê a cada 10 minutos ou até a carne ficar macia. Para ver se a carne está assada, fure a pele da coxa; se sair um caldo claro, estará pronto. Sirva quente.
Retire do forno e deixe descansar durante 10 minutos antes de servir.

Rendimento: ***4 porções***

INFORMAÇÕES NUTRICIONAIS

Cada porção contém: 449 calorias, 22 g de proteína, 26 g de carboidratos, 28 g de gordura, 7 g de gordura saturada, 171 mg de sódio, 126 mg de colesterol, 1 g de fibras.

Medalhão grelhado ao alecrim

4 medalhões de filé

2 colheres de sopa de folhas de alecrim frescas, picadas

2 dentes de alho picados

1 colher de sopa de azeite extra-virgem

1 colher de chá de casca de limão ralada

1 colher de chá de pimenta-do-reino moída na hora

Ramos de alecrim fresco (opcional)

Molde os medalhões em losangos. Misture o alecrim, o alho, o azeite, a casca de limão e a pimenta-do-reino em uma vasilha pequena. Esfregue a mistura na superfície dos filés. Tampe e leve à geladeira durante 1 hora.
Grelhe os filés até eles ficarem no ponto desejado. Corte-os na diagonal, em fatias grossas. Se desejar, guarneça com os ramos de alecrim.

Rendimento: ***4 porções***

INFORMAÇÕES NUTRICIONAIS

Cada porção contém: 247 calorias, 21 g de proteína, 1 g de carboidratos, 17 g de gordura, 6 g de gordura saturada, 50 mg de sódio, 60 mg de colesterol, 1 g de fibras.

Espetinhos de carne, pimentão e cogumelo

1 colher de sopa de suco de limão

1 colher de sopa de azeite extra-virgem

1 colher de sopa de água

2 colheres de chá de mostarda de Dijon

1/2 colher de chá de orégano fresco picado

1 pitada de pimenta-do-reino moída na hora

1/2 quilo de alcatra cortada em cubos

1 pimentão vermelho grande cortado em pedaços

12 cogumelos grandes

2 xícaras de arroz integral cozido

1/4 de xícara de chá de pinhões tostados

Em uma vasilha grande, misture o suco de limão, o azeite, a água, a mostarda, o orégano e a pimenta-do-reino. Acrescente a carne, o pimentão e os cogumelos, misturando bem. Alternadamente, arrume a carne, o pimentão e os cogumelos nos 4 espetos de metal. Reserve.

Prepare o arroz de acordo com as instruções da embalagem. Mantenha aquecido. Enquanto isso, coloque os espetinhos na churrasqueira. Asse, virando de vez em quando, durante 8-11 minutos.

Misture os pinhões torrados no arroz. Sirva os espetinhos acompanhados do arroz com pinhões.

Rendimento: ***4 porções***

INFORMAÇÕES NUTRICIONAIS

Cada porção contém: 493 calorias, 33 g de proteína, 50 g de carboidratos, 18 g de gordura, 5 g de gordura saturada, 125 mg de sódio, 75 mg de colesterol, 4 g de fibras.

Vermelho à provençal

1/4 de xícara de chá de azeite extra-virgem

700 gramas de filés de vermelho

1/3 de xícara de chá de azeitona

2 1/2 colheres de sopa de alcaparras

1 xícara de chá de tomate em lata

3 colheres de sopa de chalotas picadas

1/2 colher de sopa de folhas de alecrim fresco

1/2 colher de sopa de alho amassado

1/3 de xícara de chá de vinho branco

Pré-aqueça o forno a 230 graus. Leve ao fogo alto uma frigideira grande por 2-3 minutos. Coloque o azeite na frigideira e vire de um lado para o outro, cobrindo todo o fundo. Acrescente os filés de peixe e reduza o fogo. Refogue durante 6-10 minutos, virando uma vez na metade do tempo. Quando os filés estiverem cozidos, apague o fogo. Transfira os filés para um tabuleiro com todo o cuidado. Coloque no forno para mantê-los aquecidos, desligando o forno. Misture a azeitona, a alcaparra, os tomates e as chalotas na frigideira. Salpique o alecrim e coloque o alho, acrescente o vinho e refogue durante 5 minutos. Retire os filés do forno, transfira para uma travessa e coloque por cima a mistura de hortaliças.

Rendimento: ***4 porções***

INFORMAÇÕES NUTRICIONAIS

Cada porção contém: 362 calorias, 36 g de proteína, 6 g de carboidratos, 19 g de gordura, 3 g de gordura saturada, 543 mg de sódio, 63 mg de colesterol, 1 g de fibras.

Peixe no limão

4 filés de peixe grandes

1/4 de xícara de chá de cenoura em cubos

1/4 de xícara de chá de aipo em cubos

1/4 de xícara de chá de cebolinha verde picada

2 colheres de sopa de salsa fresca picada

2 limões em fatias finas

Aqueça o forno a 170 graus. Corte dois pedaços de 60 cm de papel-alumínio e dobre ao meio para formar um quadrado de 30 cm. Coloque 1 filé de peixe ligeiramente abaixo do meio de cada quadrado de papel. Coloque 1/4 da mistura de hortaliças (cenoura, aipo, cebolinha verde e salsa) sobre cada filé. Termine com fatias de limão.

Dobre o papel sobre o peixe e feche bem as pontas. Coloque os filés de peixe embrulhados no papel-alumínio em um tabuleiro e leve ao forno por 15-20 minutos.

Rendimento: ***2 porções***

INFORMAÇÕES NUTRICIONAIS

Cada porção contém: 119 calorias, 22 g de proteína, 5 g de carboidratos, 1 g de gordura, 0 g de gordura saturada, 97 mg de sódio, 65 mg de colesterol, 1 g de fibras.

Peixe assado com molho de lima

250 gramas de filé de peixe

1/2 xícara de chá de suco de lima

1 colher de chá de folhas de estragão

1/4 de xícara de chá de salsinha picada

Arrume os filés de peixe em uma assadeira. Derrame o suco de lima, o estragão e a salsinha. Asse tampado em temperatura média durante 15-20 minutos ou até os filés ficarem macios.

Rendimento: ***2 porções***

INFORMAÇÕES NUTRICIONAIS

Cada porção contém: 114 calorias, 22 g de proteína, 5 g de carboidratos, 1 g de gordura, 0 g de gordura saturada, 80 mg de sódio, 65 mg de colesterol, 1 g de fibras.

Camarão saboroso com arroz selvagem

170 gramas de arroz selvagem

1/2 quilo de camarão limpo

2 colheres de chá de páprica

1/2 colher de chá de pimenta branca

1/2 colher de chá de sal

1/2 dente de alho amassado

1 colher de sopa de azeite extra-virgem

1 xícara de chá de tomates-cereja cortados ao meio

Salsa fresca picada (opcional)

Prepare o arroz selvagem segundo as instruções da embalagem.
Em uma vasilha grande, misture o camarão, a páprica, a pimenta, o sal e o alho. Misture bem e reserve.
Leve ao fogo uma frigideira com azeite e aqueça-a. Acrescente o camarão e deixe cozinhar em fogo médio durante 30 segundos. Mexa o camarão e cozinhe por mais 45 segundos ou até que fique opaco, mexendo constantemente. Tire do fogo e sirva com 2 colheres de sopa de arroz selvagem.

Rendimento: ***2 porções***

INFORMAÇÕES NUTRICIONAIS

Cada porção contém: 368 calorias, 32 g de proteína, 46 g de carboidratos, 6 g de gordura, 1 g de gordura saturada, 467 mg de sódio, 172 mg de colesterol, 4 g de fibras.

Creme de espinafre

2 pacotes de espinafre (280 g cada)

2 chalotas pequenas cortadas

1 dente de alho amassado

1/3 de xícara de chá de sour cream light

1 pitada de sal

1 pitada de pimenta-do-reino moída na hora

Aqueça o espinafre em uma frigideira em fogo médio-alto durante cerca de 5 minutos ou até o líquido evaporar. Acrescente as chalotas e o alho. Cozinhe até ficar macio. Reduza o fogo. Acrescente o sour cream, o sal e a pimenta, e cozinhe em fogo brando, mexendo sempre, até o sour cream derreter. Não deixe levantar fervura.

Rendimento: *6 porções*

INFORMAÇÕES NUTRICIONAIS

Cada porção contém: 35 calorias, 3 g de proteína, 6 g de carboidratos, 0 g de gordura, 0 g de gordura saturada, 282 mg de sódio, 0 mg de colesterol, 3 g de fibras.

Salada de tomate com mussarela

2 tomates maduros médios, fatiados

110 gramas de queijo mussarela fatiado

1/4 de xícara de chá de folhas de manjericão

1 roseta de manjericão

2 colheres de sopa de azeite extra-virgem

2 colheres de sopa de vinagre balsâmico

1 colher de chá de pimenta-do-reino esfarelada

Arrume o tomate, a mussarela e o manjericão em camadas em uma travessa grande. Misture o azeite com o vinagre e derrame sobre a salada. Salpique a pimenta.

Rendimento: ***4 porções***

INFORMAÇÕES NUTRICIONAIS

Cada porção contém: 163 calorias, 6 g de proteína, 5 g de carboidratos, 13 g de gordura, 5 g de gordura saturada, 114 mg de sódio, 22 mg de colesterol, 1 g de fibras.

Salada de rúcula e agrião

Chutney de morango

140 gramas de morangos fatiados

1 colher de sopa de vinagre balsâmico

1 1/2 colher de sopa de água

1/2 colher de sopa de pimenta-do-reino em flocos

Vinagrete

1 1/4 de colher de sopa de suco de limão

1 1/4 de colher de sopa de vinagre de vinho branco

1/2 xícara de chá de azeite extra-virgem

1 1/4 de colher de sopa de pimenta-do-reino em flocos

Salada

100 gramas de folhas de rúcula

100 gramas de folhas de agrião

16 morangos cortados ao meio

1 pitada de pimenta-do-reino moída na hora

Para o chutney de morango: Misture o morango, o vinagre, a água e a pimenta-do-reino em uma caçarola em fogo médio. Deixe ferver em fogo baixo por 25 minutos, até engrossar um pouco, mexendo de vez em quando. Quando esfriar, coloque em uma vasilha, tampe e leve à geladeira.

Para o vinagrete: Misture o suco de limão e o vinagre em uma vasilha média. Bata levemente o azeite e a pimenta para misturar bem; tampe e reserve. Misture antes de servir.

Para servir: Misture em uma vasilha grande a rúcula e o agrião com o vinagrete, reservando 4 colheres de sopa. Divida a mistura em 4 pratos. Mergulhe o lado cortado de 4 metades dos morangos na pimenta. Distribua-os em volta das folhas, com as outras 4 metades dos morangos. Pingue em cada prato 1 colher de sopa do vinagrete reservado e 2 colheres de sopa do chutney de morango.

Rendimento: ***4 porções***

INFORMAÇÕES NUTRICIONAIS

Cada porção contém: 308 calorias, 2 g de proteína, 13 g de carboidratos, 28 g de gordura, 4 g de gordura saturada, 22 mg de sódio, 0 mg de colesterol, 4 g de fibras.

Receita do menu de

MACALUSO'S

1747 Alton Road, Miami Beach

Vitela grelhada à moda Macaluso com broccoli rabe

1 colher de chá de manjericão fresco picado

2 dentes de alho picados

1/2 colher de chá de páprica

sal e pimenta-do-reino moída na hora a gosto

3 colheres de sopa de azeite extra-virgem processado a frio

2 filés de vitela (com 115 a 170 g cada), levemente batidos

2 xícaras de broccoli rabe limpo (uma hortaliça da família do nabo)

1/4 de xícara de chá de azeite extra-virgem processado a frio

1 pitada de pimenta-do-reino moída na hora

1 pitada de sal

4 dentes de alho inteiros (descascados)

1 pitada de pimenta-malagueta amassada

Para a vitela grelhada: Misture o manjericão, o alho, a páprica, o sal e a pimenta com o azeite. Coloque a vitela na mistura e mexa um pouco. Coloque a vitela sobre a grelha e derrame por cima o restante do marinado. Asse durante aproximadamente 3 minutos de cada lado.

Para o broccoli rabe: Lave o broccoli rabe em água fria e escorra completamente. Coloque o sal, a pimenta, o alho e a pimenta-malagueta em uma panela. Aqueça o azeite em fogo médio. Coloque o broccoli rabe na panela, tampe e cozinhe durante 4-7 minutos. Transfira para um prato e sirva com a vitela grelhada por cima.

Rendimento: ***2 porções***

INFORMAÇÕES NUTRICIONAIS

Cada porção contém: 357 calorias, 25 g de proteína, 9 g de carboidratos, 25 g de gordura, 4 g de gordura saturada, 380 mg de sódio, 100 mg de colesterol, 0 g de fibras.

Salada mediterrânea

1 pé de alface cortada em pedaços grandes

1/2 xícara de chá de azeitonas pretas fatiadas

1/4 de xícara de chá de queijo feta esfarelado

1/2 xícara de chá de vinagrete balsâmico ou de molho pronto para consumo com baixo teor de açúcar

Misture a alface com as azeitonas em uma vasilha grande. Divida a mistura de alface em 4 pratos, salpique o queijo e acrescente o vinagrete.

Rendimento: ***4 porções***

INFORMAÇÕES NUTRICIONAIS

Cada porção contém: 101 calorias, 2 g de proteína, 11 g de carboidratos, 5 g de gordura, 1 g de gordura saturada, 716 mg de sódio, 8 mg de colesterol, 1 g de fibras.

Batata assada com ervas

700 gramas de batata-doce

2 colheres de sopa de azeite extra-virgem

3/4 de colher de chá de alecrim seco

3/4 de colher de chá de mostarda em pó

1/2 colher de chá de sálvia seca

1/2 colher de chá de tomilho seco

1 pitada de pimenta

Pré-aqueça o forno a 230 graus. Retire uma tira fina da casca da batata mais ou menos no centro de cada batata. Em uma vasilha grande, misture o azeite, o alecrim, a mostarda, a sálvia, o tomilho e a pimenta. Acrescente as batatas e mexa bem.

Corte 4 pedaços de papel-alumínio de 30 cm de comprimento. Divida a mistura de batata entre esses pedaços de papel-alumínio. Embrulhe bem as batatas. Leve ao forno. Deixe assar durante 30-35 minutos, virando os embrulhos uma vez na metade do cozimento, até as batatas ficarem macias.

Rendimento: ***4 porções***

INFORMAÇÕES NUTRICIONAIS

Cada porção contém: 183 calorias, 5 g de proteína, 30 g de carboidratos, 7 g de gordura, 1 g de gordura saturada, 0 mg de sódio, 0 mg de colesterol, 4 g de fibras.

SOBREMESAS

Morangos no vinagre balsâmico

2 quartilhos de morangos cortados ao meio

2 pacotes de adoçantes

3 colheres de sopa de vinagre balsâmico

Pimenta-do-reino moída

Ramos de hortelã (opcional)

Em uma vasilha média, misture os morangos, o adoçante e o vinagre balsâmico. Deixe descansar à temperatura ambiente até a hora de servir.

Para servir, divida os morangos em 4 taças de sobremesa. Salpique um pouco de pimenta-do-reino por cima. Se desejar, decore com os ramos de hortelã.

Rendimento: ***4 porções***

INFORMAÇÕES NUTRICIONAIS

Cada porção contém: 59 calorias, 1 g de proteína, 14 g de carboidratos, 1 g de gordura, 0 g de gordura saturada, 5 mg de sódio, 0 mg de colesterol, 4 g de fibras.

Pêra cozida na gelatina

1 pacote de gelatina de morango diet

2 xícaras de água fervendo

4 pêras pequenas sem casca e sem semente

Dissolva a gelatina na água fervendo. Acrescente as pêras e deixe ferver em fogo baixo, com tampa, durante 8-10 minutos. Vire as pêras algumas vezes para que peguem cor uniformemente. Para ver se estão cozidas, teste com um palito. Quando as pêras não oferecerem mais resistência quando furadas, retire-as com uma escumadeira. Não deixe cozinhar demais. Leve à geladeira depois de frias. Despeje a gelatina restante em 4 taças e leve à geladeira para adquirir consistência.

Rendimento: ***4 porções***

INFORMAÇÕES NUTRICIONAIS

Cada porção contém: 199 calorias, 11 g de proteína, 25 g de carboidratos, 1 g de gordura, 0 g de gordura saturada, 549 mg de sódio, 0 mg de colesterol, 4 g de fibras.

Pêra ao gengibre

4 pêras médias sem casca e sem semente, cortadas ao meio

1/4 de xícara de chá de suco de laranja feito na hora

1/2 xícara de chá de biscoitos de gengibre esmagados

2 colheres de sopa de nozes picadas

2 colheres de sopa de margarina ou manteiga

Pré-aqueça o forno a 180 graus. Coloque as pêras cortadas ao meio em um tabuleiro, viradas para cima. Despeje o suco de laranja sobre elas. Em uma vasilha pequena, misture o biscoito, as nozes e a manteiga ou margarina. Salpique sobre as pêras. Asse durante 20-25 minutos ou até as pêras ficarem macias.

Rendimento: ***8 porções***

INFORMAÇÕES NUTRICIONAIS

Cada porção contém: 110 calorias, 1 g de proteína, 16 g de carboidratos, 5 g de gordura, 1 g de gordura saturada, 55 mg de sódio, 0 mg de colesterol, 2 g de fibras.

Cheesecake de lima

12 wafers de baunilha

3/4 de xícara de chá de queijo cottage

1 pacote de 225 gramas de cream cheese light

1/4 de xícara + 2 colheres de sopa de açúcar

2 ovos

1 colher de sopa de casca de lima ralada

1 colher de sopa de suco de lima

1 colher de sopa de extrato de baunilha

1/4 de xícara de chá de iogurte de baunilha desnatado

2 kiwis médios, descascados e cortados ao meio

Forre 12 fôrmas para muffins com papel-manteiga. Coloque 1 wafer de baunilha no fundo de cada fôrma.

Bata o queijo cottage no liqüidificador ou no processador até ficar homogêneo. Misture o queijo cottage com o cream cheese light em uma vasilha média e bata em velocidade média até formar um creme.

Acrescente o açúcar aos poucos e misture bem. Acrescente os ovos, a casca de lima, o suco de lima e a baunilha. Bata até obter uma mistura homogênea. Despeje a mistura uniformemente sobre os wafers de baunilha. Leve ao forno médio-alto durante 20 minutos ou até o cheesecake assar. (Cuidado para não assar demais.) Retire o tabuleiro do forno e espere esfriar totalmente. Retire os cheesecakes da fôrma e deixe esfriar.

Despeje um pouco de iogurte de baunilha em cima de cada cheesecake e decore com 3 fatias de kiwi.

Rendimento: ***12 porções***

INFORMAÇÕES NUTRICIONAIS

Cada porção contém: 129 calorias, 5 g de proteína, 13 g de carboidratos, 7 g de gordura, 3 g de gordura saturada, 161 mg de sódio, 51 mg de colesterol, 1 g de fibras.

Pão-de-ló de chocolate

7 claras

3/4 de xícara de chá de açúcar

3 gemas

1 colher de chá de estrato de baunilha

1 xícara de chá de farinha

3 colheres de sopa de manteiga derretida, morna

40 gramas de chocolate meio-amargo

2 colheres de sopa de gordura vegetal

Pré-aqueça o forno a 180 graus. Em uma vasilha grande, bata as claras em neve, adicionando 1 gota de limão. Misture o açúcar, 1 colher de sopa de cada vez, e continue batendo até ficar com a consistência de suspiro. Em outra vasilha grande, misture as gemas com a baunilha e acrescente um terço do suspiro. Misture o restante e mexa delicadamente, até que não restem mais flocos brancos do suspiro. Salpique a farinha sobre a mistura e mexa. Acrescente a manteiga derretida – sem mexer muito. Despeje a mistura em uma fôrma de bolo redonda. Leve ao forno por 40-45 minutos, ou até que um palito, ao ser inserido no centro, saia limpo.

Tire o pão-de-ló do forno e deixe esfriar totalmente, no mínimo por 90 minutos. Passe uma faca entre a fôrma e o bolo, em toda a extensão, desenforme-o e deixe acabar de esfriar.

Derreta o chocolate com a gordura vegetal em banho-maria, mexendo de vez em quando, até virar um creme. Deixe esfriar um pouco. Derrame o chocolate derretido sobre o pão-de-ló, deixando o excesso escorrer pelos lados.

Rendimento: ***10 porções***

INFORMAÇÕES NUTRICIONAIS

Cada porção contém: 197 calorias, 4 g de proteína, 26 g de carboidratos, 9 g de gordura, 4 g de gordura saturada, 76 mg de sódio, 73 mg de colesterol, 0 g de fibras.

Pêras recheadas com chocolate

2 pêras maduras, lavadas

10 chocolates chips meio-amargos

Corte a parte superior das pêras um pouco acima da parte mais larga. Usando uma colher especial, em formato de bola, retire o miolo da parte inferior das pêras. Recheie-as com 4 chocolates chips cada. Coloque a "tampa" de volta. Coloque as pêras em pé em forminhas que possam ir ao forno e arrume-as em uma caçarola funda, acrescentando 2 dedos de água. Ferva a água em fogo médio. Tampe e deixe cozinhar durante uns 20 minutos, até as pêras ficarem translúcidas. Sirva quente.

Rendimento: ***2 porções***

INFORMAÇÕES NUTRICIONAIS

Cada porção contém: 179 calorias, 2 g de proteína, 35 g de carboidratos, 5 g de gordura, 2 g de gordura saturada, 0 mg de sódio, 1 mg de colesterol, 4 g de fibras.

Damascos ao molho de chocolate

60 gramas de chocolate meio-amargo

24 damascos desidratados

1 colher de sopa de pistaches picados

Leve o chocolate ao microondas em um recipiente apropriado durante 2 minutos, mexendo na metade do tempo. Mexa até derreter totalmente. Mergulhe os damascos no chocolate até a metade. Coloque os damascos sobre papel-manteiga. Salpique os pistaches por cima das partes dos damascos cobertas pelo chocolate. Leve à geladeira até o chocolate endurecer.

Rendimento: ***8 porções***

INFORMAÇÕES NUTRICIONAIS

Cada porção contém: 99 calorias, 1 g de proteína, 17 g de carboidratos, 3 g de gordura, 2 g de gordura saturada, 1 mg de sódio, 0 mg de colesterol, 2 g de fibras.

AGRADECIMENTOS

É frustrante preparar estes agradecimentos, pois é quase impossível mencionar todos que me apoiaram e influenciaram meu trabalho. Mas as pesquisas que deram origem à Dieta de South Beach foram um esforço coletivo, por isso não posso deixar de reconhecer aqueles que me ajudaram diretamente. Meu programa de pesquisa começou com a detecção de cálcio na artéria coronariana através da tomografia por feixe de elétrons *(electron beam tomography* – EBT). O Dr. Warren Janowitz foi, e continua sendo, um parceiro brilhante e essencial neste projeto. David King e o Dr. Manuel Viamonte Jr. nos deram, a mim e a Warren, apoio e excelentes conselhos durante todo o tempo.

Quando decidi trabalhar com uma dieta que desafiava a sabedoria convencional, resolvi procurar primeiro a nutricionista Marie Almon, que se tornou uma valiosa parceira. Recebi apoio e conselhos de meus colegas e colaboradores, os Drs. Gervasio Lamas, Eric Lieberman, Charlie Hennekens, Robert Superko, Wade Aude, Francisco Lopez-Jimenez e Ronald Goldberg.

Kristi Krueger e Jana Ross, do WPLG Channel 10, foram responsáveis por colocar a Dieta de South Beach ao alcance do público do sul da Flórida.

Finalmente, quando se chegou a um impasse sobre o projeto do livro, eis que surge em cena a escritora, palestrante e amiga Linda Richman para me colocar em contato com o meu extraordinário agente, Richard Pine.

RESTAURANTES FAMOSOS QUE CONTRIBUÍRAM PARA A DIETA DE SOUTH BEACH

1220 At The Tides

Chef executivo: Roger Ruch

Localizado na Ocean Drive, o aclamado restaurante 1220 At The Tides fica ao lado do lobby do Tides Hotel, que foi totalmente restaurado. O chef Roger Ruch cria obras-primas da culinária em um ambiente casual, mas luxuoso. A sofisticada elegância do Tides o torna um dos restaurantes preferidos tanto dos moradores locais quanto de quem visita South Beach.

Receita na página 154

China Grill

404 Washington Avenue, Miami Beach

Chef: Christian Plotczyk

Braço bem-sucedido do China Grill de Nova York, o China Grill de Miami Beach é um ponto de encontro e badalação. Embora tenha influência de sabores e técnicas culinárias asiáticas, o China Grill reúne ingredientes do mundo inteiro no seu cardápio, proporcionando uma experiência inesquecível aos visitantes.

Receita na página 158

Tuscan Steak

431 Washington Avenue, Miami Beach

Chef: Michael Wagner

A região da Toscana – caracterizada por uma culinária simples, mas extremamente saborosa, com muitos pratos grelhados – chegou a South Beach pelas mãos do Tuscan Steak. O restaurante é descrito como "um sofisticado grill florentino em estilo familiar com um toque da Flórida".

Receitas nas páginas 167 e 230

Joe' Stone Crab

11 Washington Avenue, Miami Beach

Chef executivo: Andre Bienvenue

Em 1913, Joe Weiss abriu um restaurante para refeições rápidas em Miami Beach. Desde então, uma ida a Miami Beach não é completa sem uma parada no Joe's, obrigatória para as celebridades que visitam o local. O restaurante, que continua sendo propriedade da família e administrado por ela, virou um ponto de referência de Miami.

Receitas nas páginas 174, 185 e 234

Blue Door at Delano

1685 Collins Venue, Miami Beach

Chef executiva: Elizabeth Barlow

Localizado no Delano Hotel, um dos resorts mais movimentados de Miami Beach, o Blue Door foi considerado pela revista *Esquire* um dos melhores restaurantes dos Estados Unidos em 1998. Em um ambiente chique, no estilo art déco, o chef e consultor Claude Troisgros associou-se a Elizabeth Barlow e criou uma cozinha francesa moderna e com influência tropical.

Receita na página 214

Rumi Supper Club

330 Lincoln Road, Miami Beach

Chefs executivos: Scott Fredel e J. D. Harris

Com um cardápio inovador e uma bela decoração, o Rumi é um restaurante onde um bom jantar sempre termina em dança no final da noite. Especializada na moderna culinária caribenha da Flórida, a cozinha do Rumi não tem freezer, pois os produtos chegam fresquinhos ao restaurante diariamente.

Receitas nas páginas 220 e 272

Macaluso's

1747 Alton Road, Miami Beach

Chef executivo/proprietário: Michael D'Andrea

Macaluso's é o único restaurante do sul da Flórida que serve comida italiana caseira de Staten Island, Nova York.

Receitas nas páginas 241 e 287

CONHEÇA OUTROS IMPORTANTES TÍTULOS DA EDITORA SEXTANTE

David Niven

Os 100 Segredos dos Bons Relacionamentos

Por que tantos casais apaixonados acabam se separando depois que vão morar sob o mesmo teto? Quais são os segredos para se manter um relacionamento rico e amoroso em meio às demandas do trabalho, dos filhos e dos nossos próprios sonhos e planos?

Depois de analisar estudos e pesquisas científicas sobre os hábitos de namoro e casamento de milhares de pessoas, o psicólogo e cientista social David Niven reuniu dicas, conselhos e histórias para orientar todos aqueles que desejam ter uma relação sólida e feliz.

Os 100 Segredos das Pessoas Felizes

Baseado em pesquisas e estudos de cientistas junto a milhares de pessoas, o psicólogo e cientista social David Niven descobriu os 100 segredos mais simples que são realmente capazes de tornar as pessoas felizes.

E como a leitura de um complicado tratado científico pode ser causa de infelicidade, esses segredos são apresentados de forma interessante e com exemplos que vão nos fazer identificar as situações descritas e compreendê-las.

Hugh Prather

Não Leve a Vida Tão a Sério

A vida não precisa ser tão complicada quanto insistimos em torná-la. A simples decisão de não se agarrar aos problemas pode melhorar – e muito – nossas vidas. É isso o que Hugh Prather nos mostra, com humor e clareza, neste livro.

Não Leve a Vida Tão a Sério é um guia prático e bem-humorado, baseado em histórias reais que nos mostram como complicamos as coisas desnecessariamente ao brigar com o vizinho, reclamar das tarefas domésticas ou ficar de mau humor por causa de um engraçadinho que está atrapalhando o trânsito.

Lawrence C. Katz e Manning Rubin

Mantenha o Seu Cérebro Vivo

Você tem mais de 30 anos? Anda esquecido? Tem dificuldade para aprender coisas novas? Queremos então apresentar-lhe a Neuróbica, um extraordinário programa de exercícios para o cérebro, baseado nas últimas pesquisas da neurociência. Não se trata de acrescentar novas atividades à sua rotina, mas de fazer de forma diferente o que você realiza diariamente.

Esses exercícios, que podem ser realizados em qualquer lugar e a qualquer hora, ajudam a estimular a produção de nutrientes que desenvolvem as células do cérebro, tornando-o mais jovem e forte. O resultado: uma mente capacitada a enfrentar qualquer desafio, quer seja lembrar um nome, aprender um novo programa de computador, ou permanecer criativo no trabalho e em todos os setores de sua vida.

Louise Hay

Cultivando a Saúde do Corpo e da Mente

Se nos deixarmos envolver pelo turbilhão do cotidiano, pela forma mecânica com que repetimos os mesmos gestos a cada dia, se não encontrarmos um espaço para nos voltarmos para dentro de nós mesmos e refletir, as chances de felicidade diminuem.

À medida que as atingimos, passamos a irradiá-las em torno de nós, com reflexos extremamente positivos em nosso mundo mais próximo e, de forma misteriosa, em todo o universo.

Darrin Zeer

Ioga no Trabalho

Suas costas e pescoço reclamam, seu cérebro já virou geléia. Você chega em casa no auge do estresse e não consegue nem conversar. Só quer saber de comer uma pizza e ver um pouco de televisão antes de dormir... para acordar e fazer tudo igual no dia seguinte.

Se está passando por tudo isso, experimente alguns dos exercícios de ioga deste livro. Eles foram criados para ser feitos em qualquer lugar, a qualquer momento: no escritório, durante reuniões, falando ao telefone ou até mesmo na cama.

São alongamentos suaves e relaxantes, que acalmam os músculos doloridos e diminuem a tensão. Basta você ter 20 minutos disponíveis no horário de almoço ou mesmo no intervalo entre dois telefonemas.

Cheryl Richardson

Sua Vida em Primeiro Lugar

Neste livro, você contará com a experiência de Cheryl Richardson, a mais conceituada treinadora pessoal americana, uma especialista em ajudar seus clientes a encontrar o equilíbrio entre vida pessoal e profissional.

Ela será sua orientadora e parceira, sempre pronta para lhe ajudar a superar os obstáculos que impedem que sua vida tome o rumo que você deseja. Ao longo deste treinamento, você vai aprender a organizar suas finanças, definir suas prioridades e assumir o controle total da sua vida!

Eckhart Tolle

O Poder do Agora

Com mais de um milhão e duzentos mil exemplares vendidos em todo o mundo, *O Poder do Agora* se tornou um dos maiores fenômenos da literatura espiritual por sua capacidade de transmitir uma mensagem simples e transformadora: viver no agora é o melhor caminho para a felicidade e a iluminação.

Combinando conceitos do cristianismo, do budismo, do hinduísmo, do taoísmo e de outras tradições espirituais, Tolle elaborou um guia de grande eficiência para a descoberta do nosso potencial interior.

CONHEÇA OS 25 LIVROS MAIS VENDIDOS DA SEXTANTE

- *Muitas Vidas, Muitos Mestres*, *Só o Amor É Real* e *Meditando com Brian Weiss*, de Brian Weiss
- *Conversando com os Espíritos* e *Em Busca da Espiritualidade*, de James Van Praagh
- *A Última Grande Lição*, de Mitch Albom
- *Enquanto o Amor Não Vem*, de Iyanla Vanzant
- *A Oração* de *São Francisco*, de Leonardo Boff
- *O Ócio Criativo*, de Domenico De Masi
- *Mantenha o Seu Cérebro Vivo*, de Katz e Rubin
- *Por que os Homens Fazem Sexo e as Mulheres Fazem Amor?*, de Allan e Barbara Pease
- *Uma Ética para o Novo Milênio* e *Palavras de Sabedoria*, do Dalai-Lama
- *Histórias para Aquecer o Coração*, de Mark Victor Hansen e Jack Canfield
- *100 Segredos das Pessoas Felizes* e *100 Segredos das Pessoas de Sucesso*, de David Niven
- *Aprendendo a Gostar de Si Mesmo*, de Louise Hay
- *Um Dia "Daqueles"*, *Querida Mamãe* e *O Sentido da Vida*, de Bradley Trevor Greive
- *Você É Insubstituível* e *Dez Leis para Ser Feliz*, de Augusto Cury
- *A Vida É Bela*, de Dominique Glocheux
- *Faça o que Tem de Ser Feito*, de Bob Nelson
- *Não Leve a Vida Tão a Sério*, de Hugh Prather

INFORMAÇÕES SOBRE OS PRÓXIMOS LANÇAMENTOS

Para receber informações sobre os próximos lançamentos da EDITORA SEXTANTE, queira entrar em contato com nossa Central de Atendimento, dando seu nome, endereço e telefone para:

EDITORA SEXTANTE

Rua Voluntários da Pátria 45 – Gr. 1.404 – Botafogo
22270-000 – Rio de Janeiro – RJ
Tel.: (21) 2286-9944 – Fax: (21) 2286-9244
DDG: 0800-22-6306 (ligação gratuita)
E-mail: atendimento@esextante.com.br

Para saber mais sobre nossos títulos e autores, e enviar seus comentários sobre este livro, visite o nosso site:

www.sextante.com.br

PAPEL

CHAMOIS-BULK alta performance alcalino

Impresso em papel Chamois Bulk Alta Performace Dunas 80g/m² da Ripasa S/A, fabricado em harmonia com o meio ambiente.